Fingerfood
vegetarisch

Elisabeth Schwarz

Fingerfood vegetarisch

 CORMORAN

Inhalt

Fingerfood –
phantasievoll und köstlich

»Selig, die mit den Fingern essen dürfen.«
Heinrich Böll

Das Essen mit den Fingern, echtes Fingerfood, ist nicht mehr verpönt, sondern absolut im Trend. Die phantasievollen Snacks in diesem Buch zeigen Ihnen die kulinarische Bandbreite des Fingerfoods. Reicht man eine Serviette dazu, bleibt es eine appetitliche und köstliche Angelegenheit.

Kennen Sie das auch? Es sind weder ausreichend Sitzgelegenheiten vorhanden noch genug Geschirr im Schrank für die vielen Gäste, die man einladen möchte. Kleine Häppchen und Snacks wären ideal, doch es sollte etwas Vegetarisches und Gutes sein, das nicht nach Verzicht und Askese schmeckt, sondern nach Lebenslust und Esskunst, weiter Welt und auch nach Vertrautem. Eine Nahrung für den Körper und die Sinne.

Wie wäre es denn mit multikulturellen Köstlichkeiten, kräftigenden, kernigen Snacks, phantasievollem, verführerischem Gaumenkitzel, interessanter Kleinkunst zum Essen, einem kommunikativen Event mit Lust an Farbe, Frische und Wohlbefinden? Dann lassen Sie sich von vegetarischem Fingerfood inspirieren, und servieren Sie ihren Gästen kleine kulinarische Kunststücke! Das macht Spaß und geht schnell.

Fingerfood kann man unkompliziert in Jeans oder elegantem Abendkleid vom Buffettisch naschen oder einpacken und zum Picknick, zur Arbeit und auf eine Reise mitnehmen. Ob kunstvoll hergestellte Auberginenstücke mit Walnussschafskäse und Granatapfelkernen oder rustikale, sättigende Minipizzen, die auf einer Bürofeier,Geburtstagsparty, einem Sektempfang, beim Diaabend zu Hause oder einfach als Snack zwischendurch serviert werden, Fingerfood ist bei vielen Anlässen sehr willkommen und unabhängig von Garderobe und Etikette.

Ein Fingerfood-Buffet bewirtet auf kommunikative und unkomplizierte Art und ist vor allem bei einer größeren Gästeschar angesagt. Die Gäste bedienen sich selbst, das entlastet die Gastgeber, und gleichzeitig ist so für eine gesprächsfördernde Situation gesorgt. Mit vegetarischen Leckerbissen tun Sie ihren Gästen etwas richtig Gutes. Die Snacks werden zubereitet aus frischen Gemüsen und Früchten, aromatischen Kräutern und nativen Ölen. Sie sind Augenschmaus und Gaumenfreude mit Nachwirkung; das Wohlgefühl im Magen bleibt auch nach dem Essen. Es ist gar nicht so schwer, ein Fingerfood-Buffet selbst auf die Beine zu stellen. Die Tipps und Anregungen in diesem Buch helfen Ihnen bei der Planung und beim Vorbereiten.

Einige der Rezepte in diesem Buch sind inspiriert von den Küchen anderer Kulturen, die eine lange und vielfältige vegetarische Kochtradition aufweisen, wie die asiatische und mediterrane. Vegetarisches Fingerfood spielt z. B. in Indien eine große Rolle im kulinarischen Alltag, aber auch bei festlichen Ereignissen: Garküchen an den Straßen, Gebäck-Shops und Restaurants bieten Teigtaschen, Bällchen und gefüllte Teigfladen in unzähligen Variationen an. Fingerfood-Klassiker aus dem Mittelmeerraum sind Tapas, Crostini, Schafskäsebörek und Falafel.

Die Snacks sind, von einigen Ausnahmen abgesehen, die etwas Augenmaß und Fingerspitzengefühl erfordern, mit einer normalen Küchenausrüstung einfach herzustellen. Viele der Zutaten kann man in Supermärkten und auf Wochenmärkten kaufen. Die mehr exotischen Zutaten sind in türkischen und asiatischen Lebensmittelläden, in gut sortierten Gemüse- und Obsthandlungen oder im Naturkostladen erhältlich.

Den Großteil der Snacks in diesem Buch können Sie fertigstellen, bevor die Gäste kommen. Ist erst einmal alles vorbereitet und auf Platten schön angerichtet, dann können Sie sich entspannen und mitfeiern, und auch von riesigen Spülbergen bleiben Sie verschont.

Ein abwechslungsreiches und vielseitiges Buffet mit kleinen »Kunststückchen« ist nicht nur kulinarisch ein Erlebnis – bereits das Zubereiten ist ein großer Spaß.

Zu Beginn:
Der richtige Einkauf

Wenn Sie die Wahl haben, kaufen Sie erntefrisches und sonnengereiftes Obst und Gemüse, idealerweise aus biologischem Anbau. Sie schmecken einfach viel aromatischer.

Mit der Qualität der Lebensmittel steht und fällt das Ergebnis aller Kochbemühungen. Besonders die vegetarische Küche braucht die Aromen frischer Gemüse- und Obstsorten und frischer Kräuter. Achten Sie daher auf frische Produkte. Nichts sieht trauriger aus als eine schrumpelige Gurke und ein welker Salat. Mit der Frische schwinden hier Geschmack und Vitamine.

im Garten sind praktisch, wenn man nur eine kleine Menge benötigt. Falls frische Kräuter nicht erhältlich sind, können Sie sich mit tiefgefrorenen Produkten oder mit Kräutergewürzpasten behelfen. Gewürze entfalten ihr Aroma am besten, wenn sie erst kurz vor der Zubereitung mit einer Pfeffermühle, einem Mörser oder in einer ausgedienten elektrischen Kaffeemühle gemahlen werden.

Gewürze und Kräuter

Diese sind wichtige Aromalieferanten. Sie hauchen jeder Speise Leben ein, machen sie leichter bekömmlich und dienen der Gesundheit: Pfeffer und Chili regen den Stoffwechsel an, Thymian und Ingwer sind unterstützend bei Erkältungskrankheiten, Salbei und Fenchel tun der Verdauung gut. Wochenmärkte und gut sortierte Gemüsehandlungen bieten mittlerweile ein reichhaltiges Sortiment frischer Kräuter an. Töpfe mit Kräuterpflanzen auf dem Fensterbrett oder

Käse

Ihn kaufen Sie am besten frisch vom Rad. Lassen Sie sich an der Käsetheke kleine Probierstückchen geben! Ein gut ausgereifter, würziger Käse schmeckt sehr viel besser als ein folienverschweißter Kühlthekenhüter. Ein deutliches Beispiel für den Geschmacksunterschied: frisch geriebener Parmesan zum fertig geriebenen Pendant im Plastiktütchen.

Öle und Fette

Verwenden Sie in der kalten Küche möglichst native, kaltgepresste Öle, da sie lebensnotwendige mehrfach ungesättigte Fettsäuren und fettlösliche Vitamine enthalten. Diese Öle haben einen charakteristischen Geschmack, der am besten zur Entfaltung kommt, wenn man sie passend zu den Speisen auswählt, ähnlich wie Wein. Da native Öle nicht hitzestabil sind, sollten Sie zum Braten und Frittieren ein hocherhitzbares Fett benutzen. Hier eignen sich Erdnussöl, ganz allgemein Speiseöle, ungehärtetes Kokosfett oder Butterschmalz.

Getreide

Weizenmehl, Type 1050, ist ein Halbweißmehl, das noch viele mineral- und ballaststoffreiche Randschichten des Korns enthält. Es schmeckt kräftiger als das Weizenmehl mit der Type 405 und ersetzt sehr gut das klassische Weißmehl. Möchten Sie Vollkornmehl verwenden, müssen Sie die Flüssigkeitsmengen allerdings etwas erhöhen, da die Schalenanteile noch quellen. Benutzen Sie am besten fein gemahlenes Mehl, sonst könnte das Backergebnis anders als gewünscht ausfallen.

Süßungsmittel

Zum Süßen können Sie nach Belieben weißen Zucker, Vollrohrzucker und Akazienhonig in den Rezepturen untereinander austauschen und jeweils den Süßungsgrad selbst bestimmen. Akazienhonig eignet sich von allen Honigsorten am besten zum Süßen, da er sich leicht dosieren lässt und sein milder, feiner Geschmack mit vielen Zutaten harmoniert. Er enthält Enzyme, Vitamine und Mineralstoffe, die weißer Zucker nicht mehr hat. Allerdings ist er, obwohl er der naturbelassenste Süßstoff ist, genauso schädlich für die Zähne wie alle konzentrierten Süßmittel und ist reich an Kalorien.

Die Typenbezeichnung für Mehlsorten gibt an, wie hoch der Ausmahlungsgrad der Getreidekörner ist. Je höher die Typenzahl, desto größer ist der Gehalt an Vitaminen, Mineralstoffen und Ballaststoffen.

Garnitur

Nicht nur schön zum Garnieren sind Borretsch-, Kapuzinerkresseblüten, Gänseblümchen, Calendula- und Rosenblütenblätter, denn sie sind essbar und schmecken teilweise sehr würzig.

Einige Tipps rund ums Verarbeiten

Bewahren Sie die inneren Werte der Gemüse, die empfindlichen Vitamine und Mineralstoffe, indem Sie die Zutaten schonend verarbeiten. Es wäre schade, wenn Sie beim Einkauf auf hohe Qualität achten, die dann aber bei der Verarbeitung schnell verloren geht.

Waschen und putzen

Waschen Sie das Gemüse nur kurz, die wasserlöslichen Vitamine verschwinden sonst bei längerem Wässern mit dem abfließenden Wasser im Ausguss. Putzen und schneiden Sie das Gemüse erst nach dem Waschen. Lassen Sie das geschnittene Gemüse nicht zu lange an der Luft liegen, und verarbeiten Sie es möglichst bald, da der Sauerstoff der Luft mit den Vitaminen Verbindungen eingeht und sie so für uns unbrauchbar macht. Bei größerem Arbeitsanfall kommt man nicht umhin, Gemüse auf Vorrat zu schneiden. Bewahren Sie alles Geschnittene dunkel, kühl und abgedeckt bis zur weiteren Verarbeitung auf.

Vitamine sind z.T. sehr sauerstoff-, licht- und hitzeempfindlich und können beim Verarbeiten schnell verloren gehen. Mineralstoffverluste gibt es dagegen eher durch Auswaschen.

Mit scharfer Klinge

Messer müssen scharf sein. Sind sie aber stumpf, verderben sie auf Dauer den Spaß am Kochen. Mit scharfen Messern können Sie präzise und schnell schneiden oder hacken. Dazu gehört ein Wetzstahl zum Nachschärfen. Spülen Sie die Messer nach jedem Arbeitsgang ab. Pürieren gelingt einfach mit einem Mixer (oder Mixaufsatz für eine Küchenmaschine) oder mit Pürierstäben in hohen, schmalen Gefäßen. Kugelausstecher höhlen Tomaten einfach aus und schneiden z. B. aus Melonen Kugeln heraus.
Mit Sparschälern (gibt es jetzt auch für Linkshänder) hat man im Handumdrehen eine Möhre geschält und dabei nicht zu viel weggeschnitten. Mit einem Ziseliermesser kann man leicht in Gurken und Möhren dekorative Kerben ziehen. Zestenschneider reißen von Zitrusfrüchten schmale Streifen ab. Auf Schneidebrettern, die groß genug sind, kann man einfach besser schneiden, weil die Zutaten nicht herunterfallen. Legen Sie ein feuchtes Tuch darunter, dann kann es nicht wegrutschen.

10

Gut in Form

Mit Spritztüten, inklusiv verschiedener Tüllenaufsätze, können Sie Cremes schnell und dekorativ auf die Häppchen verteilen. Ausstechförmchen, wie man sie zum Plätzchenbacken verwendet, eignen sich nicht nur zum Ausstechen von Teig, sondern man kann damit auch Brotscheiben für Canapés in Form bringen. In kleinen Backförmchen mit glattem oder gewelltem Rand in verschiedenen Formen und Größen sowie in Muffinblechen und kleinen Papierförmchen werden Miniquiches und Törtchen gebacken.

Hilfreiches Zubehör

Eine Salatschleuder trocknet Salat und Kräuter nach dem Waschen. Dadurch wird ein verwässerter Geschmack und eine zu flüssige Konsistenz in Cremes, angemachten Salaten oder Pasten vermieden. Messbecher und Waage erleichtern das Nachkochen der Rezepte.

Biss für Biss

Denken Sie bei der Herstellung der Snacks daran, dass die Häppchen gut »in der Hand liegen«. Sie sollten gerade so groß sein, dass man sie mit einem Bissen verspeisen kann. Oder die Snacks bilden in sich »kompakte Einheiten«; d. h., der Belag ist wie bei einer Pizza gut mit der Unterlage verbunden. Man kann hineinbeißen, ohne dass der Rest auf der Kleidung landet. Falafeln, Burger und Crêpes sind etwas schwieriger kleckerfrei zu essen.

Wenn Sie Platten mit Häppchen herumreichen wollen, müssen die Teilchen ohne zu verrutschen liegen können. Tomaten z. B. haben durch ihre Rundung keine große Auflagefläche. Legen Sie entweder als »Rutschbremse« Salatblätter, Kresse oder andere Kräuter unter, oder begradigen Sie einfach die Standfläche.

Lassen Sie Gebratenes immer vor dem Servieren auf Küchenpapier abtropfen, damit sich keine Fettseen auf den Platten bilden und es angenehmer zum Anfassen wird. Auf jeden Fall sollten Sie immer genügend Servietten bereitlegen oder vielleicht auch nach asiatischer Tradition kleine Schälchen, gefüllt mit lauwarmem Wasser, Zitronenspalten und Blütenblättern, zum Fingerwaschen reichen.

Backformen gibt es mittlerweile in jeder Form und Größe im gut sortierten Fachhandel zu kaufen. Das bringt eine schöne Vielfalt für's Buffet.

Bloß keinen Stress!
Ein Buffet organisieren

Wenn Sie wissen, wie viele Gäste kommen, beginnen Sie mit der Speisenplanung:

Einfach gerechnet

Rechnen Sie pro Gast mit fünf bis zwölf Häppchen, je nach Länge, Tageszeit und Anlass der Feier. Rechnen Sie für einen Sektempfang am Vormittag mit fünf Häppchen pro Person. Für Partys, die bis spät in die Nacht dauern, brauchen Sie die doppelte bis dreifache Menge. Und wenn es schmeckt, isst man bekanntlich etwas mehr.

Lassen Sie sich nicht aus der Ruhe bringen. Wenn Sie zum ersten Mal eine große Party selbst vorbereiten, sollten Sie sich Zeit nehmen und gründlich planen. Dann macht die Feier schon im Vorfeld Spaß.

Treffend ausgewählt

Schön ist eine Zusammenstellung verschiedenster Snacks. Bieten Sie sowohl Häppchen für das Auge als auch sättigende Snacks an, und vergessen Sie nicht das Süße zum Dessert. Kombinieren Sie Häppchen mit kontrastierenden Farben und Formen, die aber geschmacklich harmonieren. Wählen Sie ein Thema für das Essen aus, etwa »Rund ums Mittelmeer«, »leichte Snacks« oder »Kaffeeklatsch« und »Teatime«, auf das sich die Snacks beziehen. Bei der Auswahl sollten Sie auch an Ihre Küchenausstattung denken: Wenn Sie zum Beispiel keinen Umluftherd besitzen, müssen Sie größere Mengen Pizza oder Brötchen in mehreren Portionen hintereinander backen. Das kann unter Umständen lange dauern und Stress bedeuten. Bei sommerlichen Temperaturen brauchen Sie genügend Kühlmöglichkeiten. Vielleicht besitzen Sie einen kühlen Keller, oder Ihre Nachbarn können Ihnen Platz in ihren Eisschränken einräumen. Vielleicht können Sie sich ja mit einigen der leckeren Snacks bei ihnen revanchieren.

Gutes Timing

Überlegen Sie, wie viel Zeit Ihnen zur Verfügung steht, ob Ihnen jemand beim Einkaufen und Kochen helfen kann, gegebenenfalls warme Snacks zubereitet, während die Gäste da sind, und der das Buffet auffüllt. Organisieren Sie den Einkauf, welche Zutaten Sie auf Vorrat kaufen und welche Sie erst am Tag

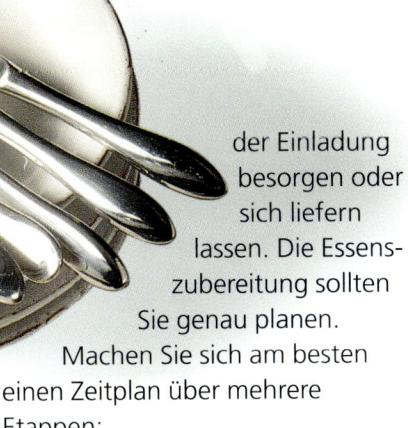

der Einladung besorgen oder sich liefern lassen. Die Essenszubereitung sollten Sie genau planen.

Machen Sie sich am besten einen Zeitplan über mehrere Etappen:

Einige Tage vorher können Sie Brötchen backen und einfrieren, Buttermischungen und Gebäcke herstellen, Zutaten marinieren und Cremes, Füllmassen, Saucen, Brotaufstriche, Fruchtgelees und Pürees zubereiten.

Am Tag der Einladung können Sie erst die Gemüse- und Obstsorten, die leicht welken, austrocknen oder sich verfärben, verarbeiten. Kühlen Sie die Häppchen bis zum Servieren. Alles, was warm serviert wird, wird kurz vor oder während der Feierlichkeit zubereitet. Snacks können Sie in Pergamentpapier eingewickelt oder mit Aluminiumfolie abgedeckt einige Zeit im Backofen warm halten. Zum Servieren können Rechauds mit Teelichtern, elektrische Warmhalteplatten, heiße Steine oder angewärmte Schüsseln eingesetzt werden.

Ganz nebenbei

Wählen Sie die passenden Getränke aus, und überprüfen Sie Ihren Vorrat an Gläsern.

Falls erforderlich, Gläser gleich beim Getränkehändler mitbestellen. Rechnen Sie die Anzahl der Platten oder Teller aus, die Sie für die Häppchen benötigen werden. Außerdem sollten Sie an Flaschenöffner, Korkenzieher, Servietten, Aschenbecher und genügend Kleiderbügel oder eine Ablagefläche für die Garderobe denken.

Eine wichtige Nebensache sind die klassischen Beigaben auf dem Buffettisch: reichlich bestückte Obstkörbe, gemischte Brotkörbe, verschiedene Buttersorten, eine Käseplatte und der Kaffee oder Espresso hinterher.

Bei mediterranen Festen können sich Oliven, Peperoni, eingelegte Artischocken, getrocknete Tomaten und Grissini, Fetaschnecken und Fladenbrot dazugesellen.

Zu exotischen Buffets passen diese Beigaben allerdings nicht. Da sind Exotenfrüchte, Papadams, Tortillas (Chapatis), Kroepoek, Cashewnüsse und verschiedene Chutneys und Pickles aus dem asiatischen Lebensmittelgeschäft die bessere Wahl.

Die Vorbereitung macht mehr Spaß, wenn Sie nicht alles alleine machen müssen. Fragen Sie Ihren Partner, eine Freundin oder eine nette Nachbarin, ob Sie Ihnen helfen. Dann geht's leichter.

Das große Finale: Die Präsentation

Die Häppchen und Snacks sind das Wichtigste am Buffet und sollen die Aufmerksamkeit auf sich ziehen. Bleiben Sie deswegen mit Farben und Dekoration eher im Hintergrund und untermalen und unterstützen Sie lediglich den optischen Eindruck.

Passend unterlegt

Je nach Anlass sollten Sie die Häppchen auf der angemessenen Unterlage servieren. Bei sehr festlichen Anlässen müssen es natürlich Silberplatten sein, zu mehr legeren Partys passen Keramik-, Glas- oder Porzellanteller. Als Unterlage geeignet sind außerdem Holzbrettchen, Steinplatten, Kuchenplatten sowie runde Aluminiumtabletts, die in türkischen Läden günstig zu kaufen sind.

Als Grundlage für die Platten brauchen Sie eine ausreichend große, stabile Unterlage: einen Esstisch, eine Holzplatte auf Tischböcken, einen Tapeziertisch oder mehrere kleine Tische aneinander gestellt, die unterschiedlich hohe Ebenen bilden können. Stellen Sie den Buffettisch leicht zugänglich und nicht in einer Ecke auf. Sie können auch mehrere kleine Tische in verschiedenen Räumen aufbauen, vor allem wenn Sie ausschließlich Häppchen zu einem Sektempfang anbieten. Die Tische können je nach Anlass mit Folien, Papierbahnen oder Stoff verkleidet werden. Mit Farben sollten Sie sich etwas zurückhalten: Die Platten mit den bunten, verschiedenformigen Häppchen kommen am besten auf einer schlichten, ungemusterten Unterlage zur Geltung.

Abstand halten

Setzen Sie die Häppchen nicht zu dicht auf die Platten. Kleine, essbare Skulpturen fühlen sich besser mit etwas leerem Raum präsentiert. Schön sind mehrere Sorten auf einer Platte, in Reihen gesetzt oder um einen Mittelpunkt herum angeordnet.

Gut beschildert

Wenn Sie möchten, können Sie kleine Schildchen basteln, mit den Namen der einzelnen Snacks beschreiben und neben den Platten aufstellen oder an einem Holzspießchen befestigen.

Das Auge isst mit

Wenn Sie den Tisch mit Blumen und Kerzen dekorieren wollen, achten Sie darauf, dass sie niemanden behindern und nicht umfallen können. Stellen Sie sie daher besser in den Hintergrund. Teelichte und kleine verstreute Silbersternchen oder Blüten sind als Dekoration unfallsicherer.

Gut und einheitlich, wie aus einem Guss, wirken themenorientierte Dekorationen. Wenn Sie die Party auf Ihren letzten Mittelmeerurlaub abstimmen wollen, servieren Sie mediterrane Snacks in Tonschalen, auf dickwandiger, weißer Keramik oder in altmodischen, emaillierten Küchenformen, die Sie auf blankes Holz stellen oder auf einen Leinenstoff. Dazu passen alte Kerzenleuchter oder Windlichter, Servietten mit Blumen- oder Muschelmuster, Ton- und Glaskaraffen, Trinkgläser aus rustikalem Glas, Blumentöpfe mit mediterranen Kräuterpflanzen und südländische Musik.

Ein schön gestaltetes Buffet ist eine Liebeserklärung an den Genuss und die Freude am Essen.

Zwischen Haute Cuisine und Fastfood – dieses Buch möchte von beiden das beste in sich vereinen. Es ist ein Buch über phantasievolle, verführerische Gaumenkitzel, kräftige, kernige Snacks, interessante Kleinkunst zum Essen, multikulturelle Schlemmereien, einen kommunikativen Event, mit Lust auf Farbe, Frische und Wohlbefinden.

In diesem Sinn viel Spaß und gutes Gelingen!

Stellen Sie Teller und Servietten direkt am Buffettisch bereit. Dann können die Gäste gleich zugreifen, wenn sie vor den leckeren Snacks stehen.

15

Kunststücke

Fenchelschenkel

Für 8 Stück

1 große Fenchelknolle
1 TL Zitronensaft
200 g Strauchtomaten
8 schwarze, entkernte Oliven
1 EL gehackte Mandeln
1/2 TL Tomatenmark
Salz
Pfeffer
geriebener Parmesan

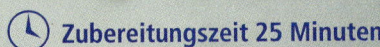 **Zubereitungszeit 25 Minuten**

❶ Das Fenchelgrün abschneiden und hacken. Die Stängel auf 4 Zentimeter kürzen. Den Wurzelansatz herausschneiden. Die Blätter voneinander lösen, durch den Stängel längs halbieren und waschen.

❷ 1 Liter Wasser mit Zitronensaft zum Kochen bringen. Fenchelblätter blanchieren und abtropfen lassen. Im gleichen Kochwasser Tomaten blanchieren, die Haut abziehen, vierteln, Kerne und Saft entfernen. Das Fruchtfleisch zerkleinern.

❸ Oliven klein hacken, mit Mandeln, Tomatenmark und Tomaten vermischen. Mit Salz und Pfeffer abschmecken. Je 1 Teelöffel Masse in die Fenchelblätter füllen. Mit Parmesan und Fenchelgrün garnieren.

Paprika mit Schafskäse

Für 16 Stück

je 4 rote und grüne Paprikaschoten
5 EL Olivenöl
1 Spritzer Aceto balsamico
Salz, Pfeffer
1 Knoblauchzehe
200 g Schafskäse
200 g Magerquark
4 EL gehackte Petersilie
2 TL Oregano
16 schwarze, entkernte Oliven

 Zubereitungszeit 25 Minuten

❶ Paprikaschoten waschen, halbieren, Trennwände und Kerne entfernen. Die Hälften halbieren und auf ein Backblech legen. 4 Esslöffel Öl, Essig, Salz und Pfeffer verrühren und darüber träufeln. Das Blech in den kalten Backofen schieben (mittlere Schiene) und die Paprika etwa 15 Minuten bei 200 °C (Umluft 180 °C, Gas Stufe 4) backen, bis die Haut Blasen wirft. Auf Küchenpapier abtropfen lassen.

❷ Knoblauch abziehen und zerdrücken. Käse zerkrümeln und mit Quark, Öl, Knoblauch und Kräutern vermischen. Pfeffern. Die Masse in eine Spritztüte füllen. Je ein rotes und grünes Paprikastück übereinander legen und die Masse aufspritzen. Mit den Oliven garnieren.

TIPP

Die Paprikastücke lassen sich gut einen Tag im Voraus backen und schmecken auch ohne Creme gut mit etwas Petersilie bestreut zu einem Knoblauchröstbrot. Dazu sollten Sie sie jedoch zuvor enthäuten.

Spinat-Chili-Bällchen

Für 10 Stück

500 g frischer Blattspinat
2–3 unbehandelte Zitronen
50 g Walnusshälften
1 rote Chilischote
1 TL Walnussöl
Salz, Pfeffer
Muskat

🕐 **Zubereitungszeit 20 Minuten**

❶ Ältere Spinatblätter aussortieren, die dicken Blattstiele entfernen und die Spinatblätter in reichlich Wasser waschen. Tropfnass in einen Topf geben und zugedeckt bei mittlerer Hitze zusammenfallen lassen. Flüssigkeit abtropfen lassen und den Spinat mit den Händen auspressen.

❷ Zitronen heiß abwaschen. Zehn Scheiben abschneiden und vom Rest 1/2 Teelöffel Schale abreiben. Zehn Walnusshälften beiseite legen, Rest hacken. Chilischote waschen, aufschneiden, Kerne und Trennwände entfernen und fein hacken.

❸ Spinat mit Chili, gehackten Nüssen, Zitronenschale und Öl vermischen. Mit Salz, Pfeffer und Muskat abschmecken. Zehn Bällchen auf die Zitronenscheiben setzen. Mit den Nusshälften garnieren.

Tomaten mit Pestocreme

Für 10 Stück

20 g Pinienkerne
1 großes Bund Basilikum
3–4 feste Strauchtomaten
100 g Schafskäse
30 g Sahne
60 g Butter
1 EL geriebener Parmesan
Pfeffer

🕐 **Zubereitungszeit 20 Minuten**

❶ Pinienkerne in einer Pfanne ohne Fett rösten. Die Hälfte im Mixer grob hacken. Basilikum waschen, trockenschwenken, Blätter abzupfen und zehn kleine beiseite legen. Die restlichen Blätter grob hacken. Tomaten waschen, quer in dicke Scheiben schneiden. Die Scheibe mit dem Stielansatz aussortieren.

❷ Schafskäse grob zerdrücken. Mit Sahne, Butter und gehacktem Basilikum pürieren. Die Creme mit gehackten Pinienkernen und Parmesan mischen. Pfeffern. Pestocreme mit einer Spritztüte auf die Tomaten spritzen. Mit Pinienkernen und Basilikum garnieren.

TIPP

Pestocreme kann auch als Brotaufstrich verwendet werden. Im Kühlschrank in einem geschlossenen Gefäß gelagert, hält er sich einige Tage. Er kann aber auch eingefroren werden.

Gelb-rotes Omelett

Für etwa 20 Stück

2 Stängel Petersilie
1/4 l Milch
1/2 Briefchen Safranfäden
18 Eier
1 TL Curry
Salz
Pfeffer
Muskat
2 EL Tomatenmark
1–2 EL Butter

🕐 **Zubereitungszeit 35 Minuten**

❶ Für die gelbe Omelettmasse die Petersilie waschen, trockenschwenken, Blätter von den Stängeln zupfen und fein hacken. 1 Esslöffel Milch erhitzen, Safran darin auflösen und mit 125 Milliliter Milch, 9 Eiern, Petersilie und Curry verrühren. Mit Salz, Pfeffer und Muskat abschmecken.

❷ Für die rote Masse 9 Eier, restliche Milch und Tomatenmark verquirlen und mit Salz, Pfeffer und Muskat abschmecken.

❸ In einer beschichteten Pfanne etwas Butter erhitzen und ein Drittel der gelben Eimasse eingießen. Zudecken und auf einer Seite bei schwacher Hitze backen, bis das Omelett durchgestockt ist. Auf einen Teller gleiten lassen. Farblich abwechselnd 6 Omeletts backen und warm aufeinander stapeln. Mit Folie abdecken und 1 Stunde kalt stellen. Den Omelettstapel würfeln und anrichten.

Für das Gelingen der Omelettwürfel ist es wichtig, die Omeletts nur von einer Seite zu backen. Dadurch haften sie besser aufeinander.

Umgang mit der Spritztüte

❶ Obere Hälfte des Beutels nach außen umschlagen. Die Füllung hineingeben.

❷ Den Beutel über der Füllung zusammendrehen. Die Masse zur Tülle hin drücken.

❸ Den Beutel an der Drehung umfassen und die Füllung langsam durch die Tülle drücken.

Wasabiterrine auf Kresse

Wasabi ist ein grüner, japanischer Meerrettich, im Asienhandel als Paste oder in Pulverform erhältlich. Er ist im Geschmack milder als unser Meerrettich, kann aber durch ihn ersetzt werden.

Für etwa 15 Stück

300 g Buttermilch
40 g Sahne
20 ml Noilly Prat (ersatzweise Weißwein)
Salz
6 Blätter Gelatine
2 Kästchen Kresse
1 gehäuften TL Wasabi
Pfeffer, etwas Zitronensaft
1/2 Kopfsalat
1 Möhre

🕐 **Zubereitungszeit 195 Minuten**
Arbeitszeit 30 Minuten

❶ Für die weiße Masse 120 Gramm Buttermilch, Sahne und Noilly Prat verrühren. Mit Salz abschmecken. Drei Blätter Gelatine 5 Minuten in kaltem Wasser einweichen, mit den Händen ausdrücken und bei geringer Hitze in einem Topf auflösen. In die Milchmasse einrühren und in eine 25 Zentimeter lange Kastenform gießen. Die Form um etwa 45 Grad gekippt in den Kühlschrank stellen. Die Seitenflächen mit Streichholzschachteln abstützen. Die Masse 45 Minuten erstarren lassen.

Die Wasabiterrine auf Kresse bekommt durch die schräg erstarrte grüne Masse ein sehr interessantes Aussehen (Seite 21).

❷ Für die grüne Masse Kresse aus einem 1/2 Kästchen schneiden und mit der restlichen Buttermilch pürieren. Wasabi einrühren und mit Salz, Pfeffer und Zitronensaft abschmecken. 3 Blätter Gelatine 5 Minuten in kaltem Wasser einweichen, mit den Händen ausdrücken und bei geringer Hitze in einem Topf auflösen. Unter die grüne Buttermilchmasse rühren.

❸ Form mit der erstarrten weißen Masse eben stellen. Die grüne Masse einfüllen. 2 Stunden zugedeckt im Kühlschrank erstarren lassen.

❹ Zum Stürzen die Form kurz in heißes Wasser tauchen, an den Rändern mit einem scharfen Messer schneiden. Die Terrine in 1,5 Zentimeter breite Stücke schneiden.

❺ Kopfsalat putzen, waschen und trockenschwenken. 15 kleine Salatblättchen zupfen. Möhre waschen, schälen, in 4 Zentimeter lange Stücke und diese in feine Streifen schneiden. Restliche Kresse aus den Kästchen schneiden. Die Terrine mit der Kresse auf dem Salat anrichten und mit Möhrenstreifen garnieren. Bis zum Servieren kühlen.

TIPP

Als Terrinenform können Sie auch den Verpackungskarton einer Alufolie nehmen und ihn mit dieser auskleiden.

❸ Schafskäse zerdrücken, mit Schmand und den eingeweichten Nüssen pürieren. Mit Salz und Pfeffer abschmecken.

❹ Granatapfel waschen. Die Kerne aus den weißen Trennwänden lösen. Walnussschafskäse in eine Spritztüte mit Sterntülle füllen und auf die Auberginenscheiben spritzen. Mit einer Walnusshälfte und den Granatapfelkernen garnieren.

Auberginentaler mit Walnussschafskäse

Für 20 Stück

130 g Walnüsse
50 ml Milch
2 mittelgroße Auberginen
Salz
100 ml Öl
100 g Schafskäse
50 g Schmand
Pfeffer
1 Granatapfel

Geben Sie beim Verarbeiten des Granatapfels Acht auf den austretenden Saft. Er hinterlässt schwer zu entfernende Flecken auf Textilien.

 **Einweichzeit 12 Stunden
Zubereitungszeit 35 Minuten**

❶ 20 Walnusshälften beiseite legen. Die restlichen Nüsse in Milch über Nacht einweichen.

❷ Auberginen waschen und putzen. In 2 Zentimeter breite Scheiben schneiden, in ein Sieb legen und kräftig salzen. Nach 20 Minuten mit Wasser abspülen, mit Küchenpapier trockentupfen. Öl in einer Pfanne erhitzen und die Auberginen bei schwacher Hitze von beiden Seiten hellbraun braten. Auf Küchenpapier abtropfen lassen.

Scharfe Gurkenbissen

Für 10 Stück

100 g Rettich
Salz
1 Stück Gurke (etwa 5 cm lang)
1 rote Chilischote
1/2 Bund Schnittlauch
1 kleine Dose Mandarinen
Tabasco

🕐 **Zubereitungszeit 15 Minuten**

❶ Rettich waschen, schälen und raspeln. Mit Salz bestreuen, einige Minuten stehen lassen, damit er Wasser ziehen kann.

❷ Gurke waschen und in 10 etwa 1/2 Zentimeter dicke Scheiben schneiden. Chilischote waschen, auf-

schneiden, die Kerne und Trennwände entfernen und die Schote in feine Ringe schneiden. Schnittlauch waschen, trockenschwenken und in kleine Röllchen schneiden. Mandarinenspalten in einem Sieb abtropfen lassen.

❸ Mit den Händen die Flüssigkeit aus den Rettichraspeln drücken. Mit den Schnittlauchröllchen vermischen, zu 10 lockeren Häuflein formen und auf die Gurkenscheiben setzen. Darauf 1–2 Tropfen Tabasco geben und mit Mandarinenspalte und Chiliring garnieren.

Ziegenkäse mit Mangovinaigrette

Für 16 Stück

1 kleine rote Chilischote
1 Messerspitze gekörnte Gemüsebrühe
1/2 Kopf Bataviasalat
150 g Ziegenkäserolle
50 ml Mangosaft
1 TL Öl
1 TL Weißweinessig
Akazienhonig
Salz
etwas Sesamsaat

🕐 **Zubereitungszeit 15 Minuten**

❶ Chilischote waschen, aufschneiden, die Kerne und Trennwände

entfernen und die Schote klein schneiden. Gekörnte Gemüsebrühe in 1 Esslöffel heißem Wasser auflösen. Salat waschen und trockenschwenken. 16 kleine Blättchen abzupfen. Ziegenkäserolle in 2 Scheiben schneiden, diese in jeweils 8 Segmente teilen.

❷ Für die Vinaigrette Mangosaft, Öl, Essig, Gemüsebrühe und Chilischote verrühren und mit Akazienhonig und Salz abschmecken.

❸ Ziegenkäsestücke auf den Salatblättern anrichten. Darauf achten, dass die Salatblätter einen Rand um den Käse bilden, um die Vinaigrette auffangen zu können. Ziegenkäse mit etwas Vinaigrette beträufeln und eine Prise Sesamsaat darüber streuen.

TIPP

Mangosaft ist im Asienhandel oder in Naturkostfachgeschäften erhältlich. Falls Sie ihn nicht bekommen, pürieren Sie das Fruchtfleisch einer halben frischen Mango mit etwas Gemüsebrühe.

Den Ziegenkäse können Sie gut vorbereiten und einige Zeit stehen lassen. Währenddessen zieht der Käse in der Mangovinaigrette etwas durch.

Sellerie-Orangen-Karees mit Campari

Für 12 Stück

Wenn Sie die doppelte Menge der Sellerie-Orangen-Karees herstellen, eignet sich als Gefäß die Eiswürfelschale.

1 Sellerieknolle (ca. 10 cm Ø)
etwas Zitronensaft, Salz
100 ml frisch gepresster Orangensaft
2 cl Campari
2 1/2 Blätter Gelatine
3 Kumquats

🕐 **Zubereitungszeit 3,5 Stunden
Arbeitszeit 20 Minuten**

❶ Sellerie waschen, schälen und in 1 Zentimeter dicke Scheiben schneiden. Zugedeckt etwa 8 Minuten in wenig Wasser mit etwas Zitronensaft bissfest garen. Sellerie abgießen. Aus den Scheiben 12 Quadrate à 3 Zentimeter schneiden und salzen.

❷ Saft und Campari vermischen. Gelatine 5 Minuten in kaltem Wasser einweichen, ausdrücken und bei geringer Hitze auflösen. Unter den Orangensaft rühren und in ein 9 x 12 Zentimeter großes Gefäß füllen. Im Kühlschrank 3 Stunden erstarren lassen.

Die roten Paprikastreifen geben den Gurkenschiffchen das gewisse Etwas – und nicht nur optisch. Das Aroma der Paprika ergänzt sich ideal mit dem der Gurken (Seite 25).

❸ Die Form kurz in heißes Wasser tauchen und stürzen. Das Gelee mit einem warmen Messer in 3 Zentimeter große Quadrate schneiden. Auf die Selleriestückchen setzen. Kumquats heiß abwaschen, in dünnen Scheiben auf das Gelee legen.

Kräutermousse auf Gurke

Für 15 Stück

1 Bund Dill
2 Bund Petersilie
1 Bund Schnittlauch
3 Blätter Zitronenmelisse
125 g Sahne
1 kleine Zwiebel
200 g Frischkäse
2 EL Zitronensaft
Salz, Pfeffer
1/2 Gurke
1 rote Paprikaschote

🕐 **Zubereitungszeit 135 Minuten
Arbeitszeit 15 Minuten**

❶ Kräuter waschen und trockenschwenken. Von den Dillstängeln 15 Zweiglein abtrennen und beiseite legen. Kräuter grob hacken und mit der der Sahne pürieren.

❷ Die Zwiebel abziehen und würfeln. Kräuter, Käse, Zwiebel und Zitronensaft vermischen. Mit Salz und Pfeffer abschmecken. Abgedeckt 2 Stunden kühlen.

❸ Gurke in 15 schräge Scheiben schneiden. Aus der Kräutermousse Nocken abstechen, auf die Gurken setzen. Die Paprikaschote waschen und in schmale Streifen schneiden. Gurken mit Paprika und Dillgrün garnieren.

Raffiniert gefüllt

Hefeplinsen mit Erbsenfüllung

Für 10 Stück

125 ml Milch	
90 g Weizenmehl Type 1050	
1/2 TL Trockenhefe	
1 Ei	
Salz, Pfeffer	
2 EL Butter	

Erbsenfüllung:

1 Zwiebel	
3 Knoblauchzehen	
1 pflaumengroßes Stück frischer Ingwer	
1 kleine rote Chilischote	
1 EL Butterschmalz	
200 g Tiefkühlerbsen	
Saft einer 1/2 Zitrone	
1 EL Kokosraspeln	
1 EL Koriander	
1 gehäufter TL Cumin	
1/2 TL Kurkuma	
Salz, Pfeffer	

Garnitur:

5 Cherrytomaten	
2 Stängel frischer Dill	

🕐 **Zubereitungszeit 45 Minuten**

❶ Milch lauwarm erhitzen und Mehl in eine Schüssel sieben. Hefe, Ei, Salz, Pfeffer und Milch zugeben und mit den Quirlen des Handrührers zu einem dick fließenden Teig verrühren. Den Teig zugedeckt an einem warmen Ort eine halbe Stunde gehen lassen.

❷ Zwiebel und Knoblauchzehen abziehen und fein würfeln. Ingwer schälen und in kleine Stückchen schneiden. Chilischote waschen, aufschneiden, Kerne und Trennwände entfernen und fein hacken.

❸ Die Zwiebel bei schwacher bis mittlerer Hitze in Butterschmalz glasig dünsten. Knoblauch, Ingwer und Chili zugeben und kurz mitbraten. Erbsen, Zitronensaft, Kokosraspeln, Koriander, Cumin, Kurkuma und 2 Esslöffel Wasser zur Zwiebel-Chilimischung geben und unter Rühren 3–5 Minuten dünsten, bis die Erbsen weich sind. Das Gemüse in einem Mixer pürieren. Mit Salz und Pfeffer abschmecken.

❹ Etwas Butter in einer beschichteten Pfanne erhitzen und pro Küchlein 1 Esslöffel Teig in die Pfanne geben. 4–6 Plinsen gleichzeitig von beiden Seiten bei schwacher Hitze goldbraun backen. Auf diese Weise 20 Plinsen herstellen.

❺ Die Füllung auf die Hälfte der Plinsen geben und verteilen. Mit den restlichen Plinsen abdecken. Tomaten waschen und halbieren. Dill waschen, trockenschwenken und Grün von den Stängeln zupfen. Tomaten mit Dillzweiglein auf die Plinsen setzen.

Die Hefeplinsen mit Erbsenfüllung können Sie, je nach Belieben, heiß, lauwarm oder kalt servieren. Als Garnitur eignen sich auch rote Paprikastreifen als Farbtupfer.

Tomaten mit Dillpesto

Für 15 Stück

2 große Bund Dill
2 TL Zitronensaft
2 EL Öl
4 EL Mandeln
Salz
frisch gemahlener Pfeffer
15 Kirschtomaten

 Zubereitungszeit 20 Minuten

❶ Dill waschen, trockenschwenken, von den Stängeln zupfen und 15 Zweiglein zurücklegen. Restliches Dillgrün grob hacken, mit Zitronensaft und Öl pürieren. Das Püree in ein Schälchen geben.

❷ Mandeln mit kochendem Wasser überbrühen und einige Minuten im heißen Wasser liegen lassen. Herausnehmen und die Haut mit den Fingern abstreifen. Mandeln trocknen lassen und fein mahlen. Das Mandelmehl unter das Püree zu einer dicklichen Masse rühren. Mit Salz und Pfeffer abschmecken.

❸ Tomaten waschen, an der Oberseite aufschneiden und mit einem Kugelausstecher aushöhlen. Das Pesto in eine Spritztüte mit Sterntülle füllen. Die Tomaten damit ausspritzen und mit den Dillzweigen garnieren.

Gurken mit Tapenade

Für 10 Stück

100 g schwarze Oliven
1 Knoblauchzehe
1 Bund frischer Thymian
1 EL Kapern
2 EL Olivenöl
1 TL Cognac
1/2 TL scharfer Senf
Pfeffer
1 Prise gemahlener Rosmarin
1 Salatgurke
1 EL rosa Beeren

 Zubereitungszeit 15 Minuten

TIPP

Ebenso kann das Pesto anstelle von Dill auch mit Petersilie, Schnittlauch, Minze oder einer Kräutermischung zubereitet werden.

❶ Die Oliven entkernen. Knoblauchzehe abziehen und zerdrücken. Thymian waschen und trockenschwenken. Die Blättchen von den Stängeln streifen, die Hälfte der Blättchen beiseite legen.

❷ Die andere Hälfte der Thymianblättchen mit Oliven, Knoblauch, Kapern, Olivenöl, Cognac und scharfem Senf in einen Mixer geben und zu einer geschmeidigen Masse pürieren. Dabei eventuell tropfenweise Olivenöl zufügen. Mit Pfeffer und einer Prise Rosmarin abschmecken.

❸ Die Gurke waschen und abtrocknen. Mit einem Ziseliermesser längs dekorative Kerben in die Schale ziehen und die Gurke in 10 etwa 2 1/2 Zentimeter dicke Scheiben schneiden.

❹ Die Gurkenstücke auf einer Seite vorsichtig mit einem Kugelausstecher oder Teelöffel ungefähr 1 Zentimeter tief aushöhlen. Je 1 Teelöffel Tapenade hineinfüllen und mit rosa Beeren und den restlichen Thymianblättchen garnieren.

Rosa Beeren werden irrtümlich auch roter Pfeffer genannt. Sie sind gefriergetrocknet oder in Lake eingelegt in Supermärkten erhältlich. Ihr Geschmack erinnert an Zitrusfrüchte.

TIPP

In ein Glas mit Schraubverschluss gefüllt, hält sich die Tapenade wochenlang im Kühlschrank. Tapenade nach provencalischer Art schmeckt besonders gut, wenn Sie sie auf frisch geröstete, mit Knoblauchöl beträufelte Baguettescheiben streichen.

Bonbons mit Zitronen- und Kräuterfüllung

Für 20 Stück

Teig:
25 g Butter
1 Ei
100 g Mehl
1/4 TL Salz

Zitronenfüllung:
1 unbehandelte Zitrone
1 TL rosa Beeren
120 g Frischkäse
2 EL geriebener Parmesan
Zucker

Kräuterfüllung:
1 gemischtes Kräutersträußchen (z. B. Petersilie, Schnittlauch, Dill und Kerbel)
Kräutersalz
Pfeffer
Öl zum Frittieren

 **Zubereitungszeit 60 Minuten
Arbeitszeit 35 Minuten**

Für Überraschungsbonbons Pergamentpapierstückchen beschreiben, klein zusammenfalten und als Füllung verwenden. Die Bonbons auf ein mit Backpapier ausgelegtes Backblech legen und etwa 10 Minuten bei 200 °C (Umluft 180 °C, Gas Stufe 4) hellbraun backen.

Ein trockener, leichter Weißwein oder ein Glas kaltes Bier passen sehr gut zu den kross frittierten Bonbons mit Füllung (Seite 31).

❶ Für den Teig die Butter zerlassen und das Ei trennen. Das Eiweiß für die Füllungen aufheben. Eigelb, Mehl, Butter und Salz in eine Schüssel geben. 2–3 Esslöffel warmes Wasser zugeben und die Zutaten 10 Minuten auf einer bemehlten Arbeitsfläche zu einem glatten, elastischen Teig kneten. Eine heiß ausgespülte Schüssel über die Teigkugel stülpen und den Teig ungefähr 30 Minuten ruhen lassen.

❷ Für die Zitronenfüllung Zitrone heiß abwaschen und abtrocknen. Die Schale abreiben und den Saft auspressen. Rosa Beeren (siehe Seite 29) mit einer Gabel zerdrücken und mit der halben Menge Frischkäse, der abgeriebenen Zitronenschale, 2 Esslöffeln Zitronensaft und 1 Esslöffel Parmesan vermischen und mit Zucker abschmecken.

❸ Für die Kräuterfüllung die gemischten Kräuter waschen, trockenschwenken, fein hacken und mit dem restlichen Frischkäse und geriebenem Parmesan vermengen. Mit Salz, Pfeffer und Zitronensaft nach Belieben abschmecken.

❹ Den Teig auf einer bemehlten Arbeitsfläche 1 Millimeter dünn ausrollen. Mit einem Teigrädchen 20 Quadrate mit 7 Zentimeter Seitenlänge schneiden. Beide Füllmassen auf je 10 Teiglinge aufteilen. 1/2 bis 1 Teelöffel Füllung in die Mitte der Quadrate geben und die Ränder mit dem verschlagenen Eiweiß bestreichen. Teigstückchen aufrollen und die Enden wie Bonbonpapier zusammendrücken.

❺ In einen hohen Topf 3 Finger hoch Öl einfüllen und die Bonbons darin portionsweise hellbraun frittieren. Aus dem Fett nehmen und auf Küchenpapier abtropfen lassen.

Kürbissterne

Für 10 Stück

1 Briefchen Safranfäden
25 g Butter, 100 g Mehl
2 Eigelbe, 1 Prise Salz
150 g Kürbis, 1 Stück Sternanis
1 EL geriebener Parmesan
1 Messerspitze Cayennepfeffer
etwas Zitronensaft
Öl zum Frittieren, Curry

🕐 **Zubereitungszeit 65 Minuten**

❶ Safran in 2 Esslöffeln kochendem Wasser auflösen. Butter zerlassen, mit Mehl, 1 Eigelb, Safranwasser, Salz vermischen. Zu einem elastischen Teig kneten. Eine heiß ausgespülte Schüssel über den Teig stülpen, 30 Minuten ruhen lassen.

❷ Kürbis waschen, schälen, Kerne und faserigen Innenteil entfernen. Fruchtfleisch klein schneiden. Mit Sternanis, Salz und etwas Wasser bedeckt bei geschlossenem Topf weich garen. Anis herausnehmen, Kürbis mit 1 Esslöffel Kochflüssigkeit pürieren. Kürbis mit der Hälfte des zweiten Eigelbs und Parmesan vermischen. Mit Pfeffer und Zitronensaft abschmecken.

❸ Teig auf einer bemehlten Fläche hauchdünn ausrollen. Mit Ausstechförmchen 20 Sterne ausstechen. Die Ränder von 10 Sternen mit dem restlichen Eigelb bestreichen. 1/2 Teelöffel Füllung in die Mitte geben. Die restlichen Sterne darauf setzen und die Ränder gut zusammendrücken.

❹ 3 Finger hoch Öl in einen Topf füllen. Die Sterne portionsweise goldgelb frittieren. Mit Salz und Curry bestäuben.

Frittierte Palmenherzen

Für 10 Stück

25 g Butter
100 g Mehl, 2 Eigelbe
1 EL Tomatenmark, 1/4 TL Salz
75 g Palmenherzen
75 g gehobelter Gruyère
Pfeffer, edelsüßes Paprikapulver
Öl zum Frittieren

🕐 **Zubereitungszeit 65 Minuten**
Arbeitszeit 30 Minuten

❶ Butter zerlassen, mit Mehl, 1 Eigelb, Tomatenmark und Salz in

Palmenherzen (Palmitos) werden in Brasilien aus dem Mark von Palmen gewonnen. Es gibt sie bei uns nur in Dosen in Supermärkten oder in Spezialitätengeschäften zu kaufen. Der Geschmack erinnert an Spargel und Oliven.

32

eine Schüssel geben. 2–3 Esslöffel warmes Wasser zufügen. Zu einem elastischen Teig kneten. Eine heiß ausgespülte Schüssel über den Teig stülpen, 30 Minuten ruhen lassen.

❷ Palmenherzstangen 1/2 Zentimeter dick schneiden. Teig hauchdünn ausrollen. Mit einer Ausstechform (etwa 8 Zentimeter Durchmesser) 20 Herzen ausstechen. Die Ränder von zehn Herzen mit Eigelb be-

streichen und beim Füllen freilassen. In die Mitte 1–2 Palmenherzen, Käse und Pfeffer geben. Die restlichen Herzen daraufsetzen, Ränder gut zusammendrücken.

❸ 3 Finger hoch Öl in einen Topf füllen, stark erhitzen und die Herzen portionsweise darin 3 Minuten frittieren. Überschüssiges Öl auf Küchenpapier abtropfen lassen. Mit Salz und Paprika bestreuen.

Wird das Frittiergut zu schnell braun, ist das Fett zu heiß; bleibt es am Boden liegen, ist die Temperatur zu niedrig.

Tipps zum Frittieren

❶ Stets nur hocherhitzbares Öl, Pflanzenfett oder Butterschmalz verwenden.

❷ Topf 3 Finger hoch mit Fett füllen, so dass das Frittiergut schwimmen kann.

❸ Das Frittiergut mit einer Schaumkelle vorsichtig in das heiße Öl geben.

❹ Nicht zu viel auf einmal ausbacken. Sonst wird das Gut nicht knusprig.

❺ Das Frittiergut herausnehmen und auf Küchenpapier abtropfen lassen.

❻ Gebrauchtes Fett durch ein Sieb gießen und dunkel und kühl aufbewahren.

Umhüllte Pilze mit Kräuterfüllung

Pfeffer schmeckt aromatischer, wenn man ihn erst direkt vor der Verwendung mit einer Mühle mahlt.

Für 15 Stück

60 g Butter
2 Eier
200 g Mehl
Salz
15 große Shiitakepilze
1 Stängel frischer Rosmarin
3 Blätter frischer Salbei
75 g Ricotta
1/2 TL geschroteter Pfeffer
etwas Zitronensaft
Öl zum Frittieren

🕐 **Zubereitungszeit 70 Minuten**

❶ Für den Teig 40 Gramm Butter zerlassen und die Eier trennen. Mehl, Eigelbe, zerlassene Butter und 1/2 Teelöffel Salz in eine Schüssel geben. 5 Esslöffel warmes Wasser nach und nach zugeben und die Zutaten 10 Minuten zu einem elastischen Teig kneten. Eine mit heißem Wasser ausgespülte Schüssel über den Teig stülpen und den Teig 30 Minuten ruhen lassen.

❷ Shiitakepilze mit Küchenpapier abreiben und die Stiele entfernen. Restliche Butter in einer Pfanne erhitzen und die Pilzköpfe bei schwacher Hitze weich braten.

❸ Rosmarin und Salbei waschen und trockenschwenken. Rosmarin-

Raffiniert verstecken sich die Pilze im Mantel. Sie lassen sich ganz leicht von der Hand in den Mund genießen (Seite 35).

nadeln vom Stängel abstreifen und fein hacken. Salbeiblätter zerkleinern. Kräuter mit Ricotta und Pfefferschrot mischen. Mit Salz und Zitronensaft abschmecken. Die Pilze mit der Masse füllen.

❹ Teig auf einer bemehlten Fläche hauchdünn ausrollen. 15 Kreise (etwa 14 Zentimeter Durchmesser) herausschneiden. Ränder mit dem verschlagenen Eiweiß bepinseln.

❺ Die gefüllten Pilzköpfe in die Mitte der Teigkreise setzen. Im Wechsel die gegenüberliegenden Seiten über die Pilze klappen, so dass ein viereckiges Päckchen entsteht. Die Ränder andrücken.

❻ Einen Topf 3 Finger hoch mit Öl füllen und die gefüllten Teigpäckchen nach und nach hellbraun frittieren. Auf Küchenpapier abtropfen lassen.

TIPP

Shiitake ist ein asiatischer Baumpilz, wird aber seit einiger Zeit auf Substrat gezüchtet. Er ist frisch in Gemüsehandlungen oder getrocknet im Asien- oder Naturkosthandel erhältlich. Er schmeckt aromatisch und ist vitamin- und eiweißreich.

❷ Salbei waschen, trockenschwenken und Blätter von den Stängeln zupfen. 20 kleine Blätter für die Garnitur beiseite legen. Restliche Blätter hacken. Knoblauchzehen abziehen und zerdrücken.

❸ Salbei und Knoblauch in Butter bei schwacher Hitze braten, bis der Salbei duftet. Die Salbeibutter unter das Bohnenpürree mischen. Mit Salz, Pfeffer und Zitronensaft abschmecken und erkalten lassen.

❹ Tomaten waschen, halbieren und mit einem Teelöffel oder Kugelausstecher aushöhlen. Das erkaltete Bohnenpürree in eine Spritztüte mit großer Tülle füllen und die Tomaten damit ausspritzen. Mit Salbeiblättchen garnieren.

Tomaten mit Bohnenpüree

Die Bohnen werden über Nacht eingeweicht, um die Kochzeit zu verkürzen. Eilige nehmen Bohnen aus der Dose, die sofort püriert werden können. Durch den Salbei ist dieses Bohnenpüree sehr bekömmlich und eignet sich hervorragend als Brotaufstrich.

Für 20 Stück

150 g weiße Bohnen
40 g frischer Salbei
2 Knoblauchzehen
60 g Butter
Salz
frisch gemahlener Pfeffer
etwas Zitronensaft
10 Tomaten

🕐 **Zubereitungszeit 115 Minuten Arbeitszeit 25 Minuten**

❶ Die Bohnen über Nacht in reichlich Wasser einweichen. Einweichwasser weggießen. Bohnen mit 1/2 Liter Wasser aufkochen. Die Hitze reduzieren und die Bohnen zugedeckt etwa 90 Minuten weich garen. Bohnen abgießen. In einen Mixer geben. Mit 3 Esslöffeln Wasser pürieren.

TIPP

Frische Kräuter nach dem Waschen stets gut trockenschwenken, bevor sie ins heiße Fett gegeben werden, sonst spritzt das Fett zu stark. Zu hohe Brathitze vertragen besonders frische Salbeiblätter nicht. Sie werden dann leicht bitter. Die Kräuter deshalb lieber bei kleiner Hitze leicht anbraten.

Frittierte Maultaschen mit Spinat

Für etwa 20 Stück

200 g Mehl
2 Eier
1 EL Olivenöl
1/2 TL Salz
200 g Blattspinat
75 g Ziegenrolle
1 Knoblauchzehe
Kräutersalz
Pfeffer
Muskat
Olivenöl zum Frittieren

🕐 **Zubereitungszeit 65 Minuten**

❶ Mehl auf eine Arbeitsfläche geben, in die Mitte eine Mulde drücken und 1 Ei, Öl und Salz hineingeben und alles miteinander vermengen. Teig kneten, eventuell Wasser zugeben, falls er zu trocken ist. Teig zu einer Kugel formen und in eine Folie wickeln. 30 Minuten ruhen lassen.

❷ Spinat waschen, putzen, nass in einen Topf geben. Zugedeckt bei mittlerer Hitze zusammenfallen lassen. In ein Sieb schütten. Mit den Händen die Flüssigkeit herausdrücken. Grob hacken und in eine Schüssel geben.

❸ Den Käse mit einer Gabel zerdrücken. Knoblauchzehe abziehen und zerdrücken. Ei trennen. Käse, Knoblauch und Eigelb zum Spinat geben. Alles vermischen und mit Salz, Pfeffer und Muskat kräftig abschmecken.

❹ Den Teig 2 Millimeter dünn ausrollen, in 5 Zentimeter breite Streifen schneiden. Die Hälfte mit verschlagenem Eiweiß bestreichen. Je 1/2 Teelöffel Füllung alle 5 Zentimeter auf die Streifenmitte setzen. Die restlichen Streifen darüber legen, andrücken und Quadrate schneiden.

❺ Drei Finger hoch Öl in einen Topf füllen. Die Taschen nach und nach bei 170 °C frittieren, bis die Ränder goldgelb werden. Taschen auf Küchenpapier abtropfen lassen. Warm oder kalt mit Holzspießen servieren.

TIPP

Frittiertes Gut immer auf Küchenpapier abtropfen lassen. Es saugt überschüssiges Fett auf.

Pikante Profiteroles

Für 30 Stück

Für den Teig:

1/4 l Wasser
70 g Butter
Salz
Muskat
125 g Vollkornweizenmehl
4 Eier

Gorgonzolafüllung:

200 g Gorgonzola
80 g weiche Butter, Pfeffer
1/2 Eichblattsalat
15 Walnusshälften

Camembertfüllung:

200 g Camembert, 60% Fett i.Tr.
60 g weiche Butter
1 EL Cointreau
Pfeffer
1/2 Friséesalat
2–3 gehackte Pistazien

🕐 **Zubereitungszeit 60 Minuten**

❶ Wasser, Butter, Salz und Muskat in einem Topf aufkochen. Mehl auf einmal zugeben und bei mittlerer Hitze zu einem Kloß rühren. Diesen etwa 1 Minute »anbraten«. Teigklumpen in eine Rührschüssel geben. Eier verquirlen, ein Viertel davon unter den Teigkloß rühren und 10 Minuten abkühlen lassen.

❷ Backofen auf 180 °C (Umluft 160 °C, Gas Stufe 3) vorheizen. Zwei Backbleche mit Backpapier auslegen und mit Wasser besprenkeln. Die restliche Eimasse nach und nach mit den Knethaken des Handrührgeräts unter den Teig rühren.

❸ Masse in eine Spritztüte mit Sterntülle füllen und walnussgroße Rosetten mit Abstand auf die Bleche spritzen. Die Backbleche in den Backofen schieben (mittlere Schiene) und die Profiteroles etwa 25 Minuten backen. In den ersten 15 Minuten die Ofentür nicht öffnen. Profiteroles vom Blech nehmen, auskühlen lassen und in der Mitte aufschneiden.

❹ Gorgonzola mit einer Gabel zerdrücken, Butter untermischen und mit Pfeffer abschmecken. Salat waschen, putzen, in kleine Blättchen zupfen. Die untere Hälfte der Profiteroles damit belegen. Käsemasse in eine Spritztüte füllen, kleine Rosetten auf den Salat spritzen. Nüsse aufsetzen und Profiteroles zuklappen.

❺ Den Camembert mit einer Gabel zerdrücken, mit Butter und Cointreau vermischen. Pfeffern. Den Salat waschen, putzen, in kleine Blättchen zupfen. Die unteren Hälften der Profiteroles damit belegen. Camembertmasse in eine Spritztüte füllen und etwas auf den Salat geben. Mit Pistazien bestreuen. Profiteroles zuklappen.

Bei der Zubereitung des Profiteroleteiges das Ei nach jeder Zugabe immer vollständig untermischen und die Teigbeschaffenheit prüfen: Sie darf nicht zu weich werden, und die Teigspitzen müssen stehen. Eventuell nicht die ganze Eimasse verwenden.

Glücklicherweise sind die pikant gefüllten Profiteroles so klein, dass man durchaus mehrmals zugreifen kann (Seite 39).

Umwickelt und gerollt

Sushi mit Gemüse

Für etwa 16 Stück

Reismasse:

125 g Sushi- oder Klebereis

Salz, 1 EL Reiswein

1 EL Zitronensaft

1/2 TL Zucker

Füllung:

1 Möhre

1 Stück Gurke

1 TL Wasabipulver oder -paste

2 Noriblätter

🕐 **Zubereitungszeit 45 Minuten**

❶ Reis in 1/4 Liter gesalzenem Wasser zugedeckt bei schwacher Hitze 10 Minuten garen. Von der Kochstelle nehmen. 15 Minuten quellen lassen. Mit Wein, Zitronensaft und Zucker abschmecken. Gemüse waschen, schälen und in Stäbchen schneiden. Wasabi mit etwas Wasser zu einer Paste rühren.

❷ Ein Noriblatt längs auf eine Bambusmatte legen. Die Hälfte der Reismenge auf die untere Hälfte verteilen. Wasabi aufstreichen. Gemüsestreifen in waagerechten Linien auf den unteren Teil der Reisfläche legen. Mit der Bambusmatte das Blatt von unten her dicht aufrollen. Die zweite Rolle ebenso herstellen. Die Rollen 10 Minuten auf der Nahtstelle liegen lassen. In 2 Zentimeter breite Stücke schneiden.

Sushi mit Omelett

Für etwa 16 Stück

Reismasse:

wie bei Gemüsesushi

Füllung:

2 Eier

2 EL Mineralwasser

1/4 TL Salz

1 TL Zucker

1 TL Sojasauce

1 TL Butter

2 Noriblätter

1 TL Wasabipulver

🕐 **Zubereitungszeit 45 Minuten**

❶ Reis wie bei Gemüsesushi garen.

❷ Eier, Mineralwasser, Salz, Zucker und Sojasauce verquirlen. Butter in einer Pfanne zerlassen. Die Eiermasse einfüllen. Bei schwacher Hitze das Omelett etwa 2 Minuten halbfest braten. Zuklappen und in weiteren 5 Minuten mit geschlossenem Deckel stocken lassen.

❸ Das Omelett in dicke Streifen schneiden. Auf die Noriblätter wie bei Gemüsesushi Reis und Wasabi aufstreichen.

❹ Omelettstreifen in je einr Linie auf den unteren Teil der Reisflächen legen und wie bei Gemüsesushi aufrollen. In 2 Zentimeter breite Stücke schneiden.

Servieren Sie Sushi nach japanischer Art auf schwarzen Lacktabletts oder auf einem Holzbrett zusammen mit einem Schälchen Sojasauce und Wasabipaste zum Dippen und süß-saurem Ingwer.

③ Möhre,
Gurke und Rettich
waschen, schälen
und in sehr dünne,
8 Zentimeter lange Stifte
schneiden. Stifte gemischt
längs etwa 1 Zentimeter hoch auf
die Tofustücke stapeln. Tofu und
Gemüse mit einem Schnittlauch-
halm umwickeln.

④ Gemüsestifte auf gleiche Länge
schneiden, damit sie das Tofustück
um etwa 1 Zentimeter an beiden
Seiten überragen. Die Päckchen
bald servieren.

Tofupäckchen

Für 16 Stück

200 g fester Tofu
1 walnussgroßes Stück Ingwer
3 EL Sojasauce
3 EL Sherry
3 EL Öl
1 Möhre, 1/2 Gurke
1/2 kleiner Rettich
16 lange Schnittlauchhalme

Statt des Schnittlauchs können Sie auch einen blanchierten, schmal geschnittenen Lauch-streifen um das Päckchen wickeln.

🕐 **Zubereitungszeit 150 Minuten
Arbeitszeit 30 Minuten**

❶ Tofu in 16 Stücke in der Größe
von 5 x 2 1/2 x 1 Zentimeter
schneiden. Ingwer schälen und fein
reiben. Sojasauce, Sherry und Ingwer verrühren. Tofu damit bestreichen. 2 Stunden ziehen lassen.

❷ Öl erhitzen und den Tofu von
beiden Seiten bei starker bis mittlerer Hitze hellbraun braten. Mit der
restlichen Marinade ablöschen. Tofu
auf Küchenpapier abtropfen und
auskühlen lassen.

TIPP

Für die Tofupäckchen wird fester
Tofu benötigt. Sollten Sie weichen
Tofu bekommen haben, müssen
Sie ihn pressen. Dazu wickeln Sie
ihn in ein Küchentuch, legen ihn
für eine Stunde in eine passende
Form (z. B. in die Eiswürfelschale
aus dem Gefrierfach) und legen
einen schweren Gegenstand
darauf. Tofu hat eine gallertartig
feste Beschaffenheit. Da er kaum
Eigengeschmack hat, lässt er sich
sehr gut mit vielen Zutaten kombinieren, deren Geschmack er
rasch annimmt. Tofu wird natur-
belassen, gewürzt oder geräu-
chert angeboten.

Zucchini-Rucola-Rollen

Für 15 Stück

500 g Zucchini, mitteldick und gerade gewachsen
1 Knoblauchzehe
8 EL Olivenöl
1 TL Aceto balsamico
Salz, Pfeffer
50 g Rucola
100 g Ziegenrolle oder Mozzarella

 **Zubereitungszeit 140 Minuten
Arbeitszeit 20 Minuten**

❶ Zucchini waschen und längs in 3–4 Millimeter dünne Scheiben schneiden. Das geht am besten mit einer Brotschneidemaschine. Nur breite Streifen aus der Mitte der Zucchini weiterverwenden.

❷ Knoblauch abziehen und zerdrücken. Die Hälfte des Olivenöls mit Balsamico, Knoblauch, Salz und Pfeffer zu einer Marinade verrühren und auf den Zucchinistreifen verteilen. Mindestens 2 Stunden marinieren.

❸ Zucchinistreifen abtropfen lassen. Restliches Olivenöl in einer Pfanne erhitzen und die Zucchinistreifen bei schwacher bis mittlerer Hitze von beiden Seiten anbraten, bis sie sich biegen lassen. Auf Küchenpapier abtropfen lassen.

❹ Rucola waschen und trockenschwenken. Die harten Stiele abschneiden und die Blätter etwas länger als die Breite der Zucchinistreifen schneiden. Ziegenrolle oder Mozzarella in 15 Stäbchen schneiden. Jeden Zucchinistreifen mit einem Käsestück und 1–2 Blättchen Rucola aufrollen und dabei an den Seiten die Füllung herausschauen lassen. Röllchen mit Zahnstochern feststecken und zum Servieren auf eine Platte legen.

Wer es würziger mag, sollte Ziegenkäse bevorzugen. Er gibt den Zucchini-Rucola-Rollen einen kräftigen Geschmack.

TIPP

Rucola, auch Rauke genannt, ist mit Senf und Rettich verwandt und hat daher seinen kräftigwürzigen Geschmack. Er wird in den letzten Jahren bei uns zunehmend häufiger verwendet.

Mangoldröllchen mit Tofufüllung

Für 15 Stück

100 g Naturreis
100 ml Weißwein
100 ml Gemüsebrühe
1 Lorbeerblatt
Salz
15 große Mangoldblätter, ca. 1 kg
150 g Tofu
1 kleine Zwiebel
1 Knoblauchzehe
4 EL Olivenöl
2 EL Sojasauce
Pfeffer
je 1/2 TL Dill und Thymian
1/2 TL edelsüßes Paprikapulver
1 Ei
Gemüsebrühe zum Garen
einige Zitronenscheiben

🕐 Zubereitungszeit 80 Minuten
Arbeitszeit 45 Minuten

❶ Reis mit kaltem Wasser waschen, bis das Wasser klar bleibt. Mit Wein, Brühe, Lorbeerblatt und Salz in einen Topf geben. Den Reis bei starker Hitze aufkochen, bei geringer Hitze zugedeckt 30 Minuten garen. Topf von der Kochstelle nehmen. Reis 15 Minuten quellen lassen.

❷ Mangold waschen, dicke Blattrippen abschneiden, die Blätter 10 Sekunden blanchieren, abschrecken und abtropfen lassen.

Die herzhaft-leckere Reistofufüllung versteckt sich in den Mangoldröllchen, und man weiß zunächst nicht genau, was man bekommt. Der erste Biss offenbart den Genuss (Seite 45).

❸ Tofu fein zerkrümeln. Zwiebel und Knoblauchzehe abziehen und würfeln. 3 Esslöffel Öl in einer Pfanne erhitzen. Tofu unter Rühren bei starker bis mittlerer Hitze hellbraun braten. Zwiebeln und Knoblauch zugeben, glasig braten. Mit Sojasauce ablöschen. Mit Pfeffer und Salz würzen.

❹ Dill und Thymian waschen und trockenschwenken. Dill fein hacken. Thymianblättchen von den Stängeln abzupfen und fein hacken. Tofu und Reis in eine Schüssel geben und mit Dill, Thymian, Paprika und Ei vermischen. Mit Salz und Pfeffer abschmecken.

❺ Mangoldblätter salzen und mit der glatten Seite nach unten auf eine Arbeitsfläche legen. Eventuell dicke Mittelrippen flach schneiden. Je 1 Teelöffel Füllung in die Mitte der Blätter geben. Erst die Blattseite mit dem Stielansatz über die Füllung klappen, dann die beiden langen Seiten nach innen einschlagen. Zur Blattspitze hin aufrollen.

❻ Einen Topf mit dem restlichen Olivenöl einfetten und die Röllchen mit der Nahtstelle nach unten hineinsetzen. Knapp mit Gemüsebrühe bedecken und 20 Minuten zugedeckt bei schwacher Hitze garen. Röllchen abtropfen lassen. Mit Zitronenscheiben kalt servieren.

Kräuterröllchen

Ein etwas aufwändiges Rezept, aber gut vorzubereiten: Rollen ungeschnitten in Frischhaltefolie wickeln und bis zu einem Tag im Kühlschrank aufbewahren.

Für etwa 18 Stück

2 Eier, Salz
25 g Mehl, 25 g Speisestärke
25 g rote Paprikaschote
je 1/2 Bund Schnittlauch, Petersilie, Dill
50 g Sahne
2 TL Zitronensaft
125 g Crème fraîche
Pfeffer

 Zubereitungszeit 35 Minuten

❶ Ein Backblech mit Backpapier auslegen. Den Backofen auf 200 °C (Umluft 180 °C, Gas Stufe 4) vorheizen. Eier trennen. Eiweiß und eine Prise Salz steif schlagen. Eigelbe unterziehen. Mehl, Stärke und etwas Salz mischen und darüber sieben. Alles vermischen.

❷ Teig auf ein halbes Backblech streichen. Im Backofen (mittlere Schiene) etwa 7 Minuten hellbraun backen. Herausnehmen und sofort auf ein Küchentuch stürzen. Das Backpapier befeuchten und abziehen.

Teig längs teilen und von den breiten Seiten her mit Hilfe des Küchentuchs dicht aufrollen. Auskühlen lassen.

❸ Paprikaschote waschen, vierteln, Kerne und Trennwände entfernen und fein würfeln. Kräuter waschen, trockenschwenken und hacken. Mit Sahne und Zitronensaft pürieren. Kräuter, Paprika und Crème fraîche mischen und abschmecken.

❹ Bisquitrollen aufrollen. Füllung bis 2 Zentimeter vor die äußeren Ränder aufstreichen, alles wieder fest zusammenrollen. In 2 Zentimeter breiten Stücken servieren.

Röllchen mit Mandelfüllung

Für 15 Stück

15 große Spinatblätter (ca. 120 g)
100 g Schalotten
1 Knoblauchzehe
200 g Champignons
2 Stängel Petersilie
1 EL Butter, 1 EL Weißwein
60 g gemahlene Mandeln
1 Ei, Salz, Pfeffer
1–2 TL Estragon
1–2 unbehandelte Zitronen
1 TL Öl

Zubereitungszeit 35 Minuten

❶ Spinat waschen, dicke Stiele abschneiden und die Blätter in kochendem Wasser blanchieren. Mit Eiswasser abschrecken, abtropfen und abkühlen lassen.

❷ Schalotten und Knoblauchzehe abziehen und würfeln. Pilze abreiben und würfeln. Petersilie waschen und trockenschwenken. Die Blätter von den Stängeln zupfen und fein hacken. Schalotten und Knoblauch in der Butter glasig dünsten. Pilze zufügen und weich garen. Mit Wein ablöschen.

❸ Mandeln mit Pilzen, Petersilie und Ei mischen. Mit Salz, Pfeffer und Estragon abschmecken.

❹ Spinatblätter ausbreiten. Je 1 Teelöffel Füllung auf die Blattmitte geben. Drei Blattseiten über die Füllung klappen und zur Blattspitze hin aufrollen. Zitrone waschen, in Scheiben schneiden und halbieren.

❺ Topfboden einölen, die Röllchen mit der Naht nach unten hineinsetzen, zur Hälfte mit Brühe bedecken. Aufkochen lassen und 6 Minuten bei schwacher Hitze garen. Röllchen herausnehmen und abtropfen lassen. Mit Zitronenscheibchen warm oder kalt servieren.

Auberginen mit Ricotta

Für 10 Stück

500 g Auberginen, 75 ml Olivenöl
3 Stück getrocknete Tomaten
1 kleines Bund Thymian
120 g Ricotta, 1 EL Rosinen
1 EL geröstete Pinienkerne
Aceto balsamico
1 TL Puderzucker
Salz, Pfeffer

🕐 **Zubereitungszeit 40 Minuten**

❶ Auberginen waschen, putzen. Längs in etwa 8 Millimeter breite Scheiben schneiden. Nur Streifen aus der Mitte verwenden. Diese kräftig salzen, nach 20 Minuten abspülen und trockentupfen. Öl erhitzen. Auberginen bei schwacher Hitze braten. Auf Küchenpapier legen und abkühlen.

❷ Tomaten klein schneiden. Thymian waschen, trockenschwenken. Kleine Zweige abzupfen. Ricotta, Rosinen, Pinienkerne und Tomaten vermischen. Mit Essig, Zucker, Salz und Pfeffer abschmecken. 1 Teelöffel Füllung auf einen Auberginenstreifen geben. Mit einem Thymianzweig aufrollen und mit einem Zahnstocher feststecken.

TIPP

Die Auberginenscheiben lassen sich am besten mit einer Brotmaschine gleichmäßig schneiden. Auf gleiche Weise können Sie mit Zucchini verfahren.

Gefüllte Crêperoulade

Das Avocadopüree ist durch den hauchdünnen Crêpe vor dem Braunwerden geschützt und kann daher ohne Risiko länger auf dem Buffettisch stehen.

Für 24 Stück:

Crêperouladen:

75 g Mehl
1 Ei
Salz
175 ml Milch
4 TL Butterschmalz

Avocadofüllung (12 Füllungen):

75 g Rucola
100 g Tomaten
2 weiche Avocados
1 EL Zitronensaft
Salz, frisch gemahlener Pfeffer
Tabasco

Steinpilzfüllung (12 Füllungen):

10 g getrocknete Steinpilze
60 g Schalotten
1 Knoblauchzehe
2 TL Butter
2 EL Cognac
100 g Mascarpone
2 EL gehackte Petersilie
Salz
frisch gemahlener Pfeffer
1 Prise Muskat
Piment

🕐 **Zubereitungszeit 75 Minuten**

Wer die Wahl hat, hat die Qual. Wenn Sie beide Füllungen probiert haben, werden Sie sich sicherlich schwer tun, die bessere zu bestimmen (Seite 49).

❶ Die getrockneten Steinpilze 30 Minuten in warmem Wasser einweichen. Mehl in eine Schüssel sieben, Ei, Salz und Milch dazugeben und alles miteinander verquirlen. Den Teig etwa 30 Minuten quellen lassen.

❷ Rucola waschen, trockenschwenken. Harte Stiele entfernen, Blätter klein schneiden. Tomaten häuten, halbieren und Kerne entfernen. Fruchtfleisch klein schneiden. Avocados halbieren, Kern entfernen. Fruchtfleisch mit einem Löffel herausnehmen. Im Mixer mit Zitronensaft pürieren. In eine Schüssel geben. Rucola und Tomaten zugeben. Würzen.

❸ Pilze abgießen und zerkleinern. Schalotten und Knoblauch abziehen und fein würfeln. Butter in einer Pfanne erhitzen und Schalotten und Knoblauch bei schwacher Hitze anbraten. Pilze zugeben und 2 Minuten unter Rühren braten. MitCognac ablöschen. Mascarpone und Petersilie zufügen. Abschmecken.

❹ 1 Teelöffel Butterschmalz erhitzen. Ein Viertel des Teigs in die Pfanne gießen. Teig durch Drehen der Pfanne verteilen. Bei mittlerer Hitze braten, bis er bis zur Oberfläche durchgestockt ist. 3 weitere Crêpes ebenso backen.

❺ Crêpes in 6 Segmente schneiden. Die Füllmassen in je 12 Portionen teilen: 1 Teelöffel Füllung auf das breite Ende geben, dort die Seiten nach innen einschlagen und dicht aufrollen. 10 Minuten auf der Spitze liegen lassen, bis die Rouladen »zusammenkleben«.

Mozzarella- und grüne Crespelle

In Kräuteröl eingelegte, getrocknete Tomaten bekommen Sie im Spezialitätengeschäft oder in gut sortierten Supermärkten.

Für 32 Stück

150 g Mehl
2 Eier
Salz
Pfeffer
1/4 l Milch
Mozzarellafüllung:
200 g Mozzarella
5 getrocknete Tomaten, in Kräuteröl eingelegt
30 Blätter Basilikum
1 TL Aceto balsamico
grüne Füllung:
150 g Blattspinat
50 g Rucola
2 EL Pinienkerne
15 Blätter Basilikum
20 g fein geriebener Pecorino
2 TL Senf
4 TL Butter

🕐 **Zubereitungszeit 55 Minuten**

❶ Für den Teig Mehl, Eier, Salz, Pfeffer und Milch in eine Schüssel geben und miteinander verquirlen. Den Teig ungefähr 30 Minuten quellen lassen.

Das dekorative Aussehen der Crespelle bereichert jedes kalte Buffet. Aber Vorsicht: Hier greift man im Lauf der Party häufiger zu (Seite 51).

❷ Mozzarella , Tomaten und die Hälfte der Basilikumblätter fein hacken. Die Zutaten mit etwas Kräuteröl der Tomaten vermischen. Mit Essig, Salz und Pfeffer pikant abschmecken.

❸ Spinat waschen, putzen, einige Blätter beiseite legen. Den Rest tropfnass bei mittlerer Hitze zugedeckt zusammenfallen lassen. In ein Sieb schütten, die Flüssigkeit ausdrücken und grob hacken.

❹ Rucola waschen, Blätter klein schneiden. Pinienkerne ohne Fett rösten und grob hacken. Basilikum klein schneiden.

❺ Spinat, Rucola, Pinienkerne, Basilikum, Pecorino und Senf mischen. Mit Salz und Pfeffer abschmecken. Die Hälfte des Pfannkuchenteigs mit den zurückgelegten Spinatblättern in einem Mixer pürieren.

❻ 1 Teelöffel Butter in einer Pfanne erhitzen und die Hälfte des grünen Teigs hineingeben. Bei mittlerer Hitze backen, bis der Pfannkuchen fast durchgestockt ist. Wenden, 1–2 Minuten unten backen. Mit dem restlichen Teig auf die gleiche Weise noch 1 grünen und 2 helle Pfannkuchen backen.

❼ Pfannkuchen in jeweils 8 Segmente schneiden. Je 1 Teelöffel der Spinatfüllung auf den breiten Teil der grünen Segmente geben und zur Spitze hin aufrollen. Die Spitze mit einem Zahnstocher feststecken. Helle Segmente mit der Mozzarellamasse füllen und Basilikum mit Zahnstochern daran befestigen.

Vegetarischer Rollmops

Für 10 Stück

2 mittelgroße, gerade gewachsene Zucchini	
1 Zitrone	
6 EL Öl	
Salz, Pfeffer	
Koriander	
2 Zwiebeln	
5 Cornichons aus dem Glas	
1 Bund Dill	
1 Noriblatt	

🕐 **Zubereitungszeit 145 Minuten
Arbeitszeit 25 Minuten**

Die Rollmöpse kann man noch einige Tage länger im Kühlschrank aufbewahren, indem man sie in ein Glas mit Schraubverschluss legt und mit Gurkenwasser begießt.

❶ Die Zucchini in 10 Längsstreifen, ungefähr 4 Millimeter dünn, schneiden. Das geht am besten mit einer Brotschneidemaschine. Nur die inneren, breiten Streifen verwenden. Zitrone auspressen und den Saft mit 2 Esslöffeln Öl, Salz und Pfeffer verrühren. Die Marinade auf den Zucchinistreifen verteilen und mindestens 2 Stunden marinieren.

❷ Zucchinistreifen abtropfen lassen. Öl erhitzen und die Streifen in 2–3 Portionen bei schwacher bis mittlerer Hitze braten, bis die Streifen sich biegen lassen. Herausnehmen und abtropfen lassen. Die Streifen salzen, mit Pfeffer und einer Prise Koriander würzen.

❸ Die Zwiebeln abziehen und in kleine Spalten schneiden. Die Cornichons längs halbieren. Den Dill waschen und trockenschwenken. Von den Dillstängeln kleine Zweiglein zupfen. Das Noriblatt einige Sekunden über der Flamme des Gasherdes oder in einer trockenen Pfanne rösten. Daraus 10 Quadrate mit etwa 3 Zentimeter Seitenlänge schneiden.

❹ Auf jeden Zucchinistreifen 1 Stück Nori, einen Zwiebelspalt, eine Cornichonhälfte und 1 bis 2 Dillzweiglein legen und einrollen. Mit einem Zahnstocher feststecken.

Weinblätter mit Käse

Für 15 Stück

15 große Weinblätter	
2 EL Pinienkerne	
2 EL Rosinen	
200 g Ziegenfrischkäse	
eventuell 2 TL Sahne	
Pfeffer	

🕐 **Zubereitungszeit 25 Minuten
Arbeitszeit 10 Minuten**

❶ Weinblätter waschen und die Stiele entfernen. 15 Minuten in kochendem Salzwasser garen, abgießen und abtropfen lassen.

❷ Pinienkerne ohne Fett in einer Pfanne rösten. Mit Rosinen und Frischkäse in eine Schüssel geben und zu einer Paste mischen. Eventuell Sahne tropfenweise unterrühren. Mit Pfeffer abschmecken.

❸ Weinblätter mit der glatten Seite nach unten auf die Arbeitsfläche legen. Je 1 gehäuften Teelöffel Masse in die Mitte des Weinblattes geben. Die Blattseite mit dem Stielansatz über die Füllung klappen, die beiden Blattseiten darüber schlagen und aufrollen.

Apfel-Polenta-Tüten

Für 16 Stück

200 ml Milch
Kräutersalz, Pfeffer, Muskatnuss
100 g Polenta
2 EL geriebener Emmentaler
1 EL gehackte Kürbiskerne
1 Zwiebel, 1 kleines Bund Thymian
200 g Äpfel, 1 EL Zitronensaft
50 g Butter
1 Wirsingkopf, knapp 1 kg
1 TL Kümmel, 1 Möhre

🕐 **Zubereitungszeit 45 Minuten**

❶ 200 Milliliter Wasser, Milch, Salz, Pfeffer und Muskat aufkochen und Polenta einstreuen. Unter Rühren bei schwacher Hitze 5 Minuten kochen. Topf von der Kochstelle nehmen, Käse und Kürbiskerne zugeben. 20 Minuten quellen lassen.

❷ Zwiebel abziehen, klein schneiden. Thymian waschen, trockenschwenken. Blättchen von den Stängeln streifen. Äpfel waschen, würfeln, mit Zitronensaft beträufeln. Zwiebeln bei mittlerer Hitze in Butter anbraten. Äpfel und Thymian zugeben, zugedeckt 3 Minuten schmoren lassen. Unter die Polenta rühren, mit Salz und Pfeffer abschmecken.

❸ 8 große Wirsingblätter ablösen. Reichlich Wasser mit Kümmel zum Kochen bringen, Blätter 2 Minuten blanchieren. Abschütten, abschrecken und abtropfen lassen.

❹ Möhre schälen und in kleine Stifte schneiden. Die Wirsingblätter an der mittleren Blattrippe entlang teilen und die dicken Rippen entfernen. Wirsing mit der glatteren Seite nach unten auf die Arbeitsfläche legen. 1–2 Teelöffel Masse in die Mitte der Blatthälfte setzen, zu einer Tüte aufrollen und mit einem Zahnstocher feststecken.

TIPP

Die gefüllten Weinblätter halten sich zugedeckt und mit etwas Öl beträufelt einige Tage im Kühlschrank. Statt in Weinblätter kann die Masse auch in weiche Salatblätter oder in blanchierte Mangold- oder Spinatblätter gewickelt werden.

Paprika-Spinat-Röllchen

Für 30–40 Stück

250 g rote Paprikaschote	
150 g Mehl	
125 ml Mineralwasser	
125 ml Milch	
2 Eier	
Salz, Pfeffer, Rosenpaprika	
500 g frischer Blattspinat	
Muskat	
Zitronensaft	
1 TL Olivenöl	
1 Prise Kräuter der Provence	
50 g Frischkäse	
1–2 EL Butter	

🕐 **Zubereitungszeit 130 Minuten
Arbeitszeit 40 Minuten**

Für die Röllchen werden zwei verschiedene Füllungen hergestellt. Eilige nehmen Blattspinat aus der Tiefkühltruhe und verwenden für die Paprikafüllung einen Brotaufstrich mit Paprika aus dem Naturkostgeschäft oder Reformhaus.

❶ Paprikaschoten 15 Minuten in Wasser kochen und in einer Plastiktüte abkühlen lassen. Mehl, Mineralwasser, Milch, Eier, Salz, Pfeffer und Paprika verquirlen und 30 Minuten quellen lassen.

❷ Spinatblätter in reichlich Wasser waschen, tropfnass in einen Topf geben und zugedeckt bei mittlerer Hitze zusammenfallen lassen. Spinat in ein Sieb schütten und abtropfen lassen. Verbliebene Flüssigkeit herausdrücken, Blätter grob hacken. Mit Salz, Pfeffer, Muskat, Zitronensaft, Öl und Kräutern der Provence abschmecken.

❸ Paprikahaut abziehen, Kerne und weiße Trennwände entfernen. Das Fruchtfleisch in einem Mixer pürieren. Das Püree muß die Konsistenz einer Paste haben. Falls es dünnflüssiger ist, in eine Pfanne oder einen Topf geben und bei mittlerer Hitze unter Rühren etwa 3 Minuten zu einer dicklichen Masse einkochen. Von der Kochstelle nehmen und den Frischkäse unterrühren. Mit Salz und Pfeffer abschmecken und kalt stellen.

❹ Butter erhitzen und ein Viertel des Pfannkuchenteigs eingießen. Bei mittlerer Hitze backen, bis der Pfannkuchen an der Oberseite fast fest geworden ist. Wenden und die Unterseite kurz backen. Auf einen Teller gleiten lassen. 3 weitere Pfannkuchen auf die gleiche Art backen.

❺ Die noch warmen Pfannkuchen füllen: Die Paprikamasse mit einem Messer auf dem unteren Drittel eines Pfannkuchens verstreichen. Die Spinatmasse in einem etwa 8 Zentimeter breiten Streifen darüber verteilen. Den oberen Teil frei lassen. Die Pfannkuchen dicht von unten her aufrollen. In eine Folie wickeln und mindestens 1 Stunde in den Kühlschrank legen. Mit einem scharfen Messer in 2 Zentimeter dicke Stücke schneiden, die Endstücke nicht verwenden.

Die gelungene Kombination von rot, grün und gelb fasziniert nicht nur das Auge. Die Paprika-Spinat-Röllchen schmecken auch kalt sehr gut (Seite 55).

Gar nicht spießig

Zucchinischlangen

Für 10 Stück

2 gerade gewachsene Zucchini
1/2 Knoblauchzehe
1 Bund frisches Basilikum
8 EL Olivenöl
1 TL Zitronensaft
Salz, Pfeffer
150 g Schafsgouda

 **Zubereitungszeit 140 Minuten
Arbeitszeit 20 Minuten**

❶ Zucchini längs in 4 Millimeter schmale Streifen schneiden. Knoblauchzehe abziehen und zerdrücken. Basilikumblätter abzupfen und 10 kleine Blättchen beiseite legen. Den Rest grob hacken. Mit 5 Esslöffeln Öl, Zitronensaft und Knoblauch pürieren. Mit Salz und Pfeffer abschmecken. Zucchini mit der Marinade bestreichen. 2 Stunden ziehen lassen.

❷ Marinade abtropfen lassen und Öl erhitzen. Zucchinistreifen bei mittlerer Hitze von beiden Seiten braten, bis sie weich werden.

❸ Den Käse in 3 x 2 x 1 Zentimeter große Stücke schneiden. Zucchinistreifen wellenförmig auf einen Zahnstocher stecken. Diesen auf einem Käsestück befestigen. In die oberste »Welle« ein Basilikumblatt als Schlangenzunge stecken.

Marinierte Pilze

Für 12 Stück

300 g Champignons,
5–6 cm große Köpfe
5 frische Shiitakepilze
3 EL Öl
Salz
1 rosa Grapefruit
20 g Rucola
Pfeffer

**Zubereitungszeit 80 Minuten
Arbeitszeit 20 Minuten**

❶ Pilze putzen und Stiele entfernen. Öl erhitzen. Pilzköpfe bei mittlerer Hitze kurz anbraten und salzen. Bei schwacher Hitze zugedeckt etwa 10 Minuten dünsten, bis die Pilze deutlich kleiner geworden sind und in ihrem eigenen Saft liegen. Topf von der Kochstelle nehmen.

❷ Grapefruit schälen und das Fleisch aus den weißen Häuten lösen. Den Saft auffangen. Rucola waschen, trockenschwenken. Stängel entfernen, Blätter fein schneiden.

❸ Grapefruitfilets und Rucola mit den Pilzen vermischen. Mit Grapefruitsaft, Salz und Pfeffer abschmecken. 1 Stunde durchziehen lassen und erneut abschmecken. Zahnstocher in die Pilze stecken. Mit der Marinade anrichten.

TIPP

Die Zucchinistreifen sollten so lange gebraten werden, bis sie weich werden und sich gut biegen lassen. So kann man sie leicht wellenförmig aufspießen.

halbieren. Auf beide Zahnstocher-
enden jeweils eine Mandarine und
ein Stück Dattel aufspießen.

Lauchlocken mit Datteln

Für 10 Stück

Variante
Aus geschälten Möhren
und Steckrüben dünne
Streifen mit einer
Brotschneidemaschine
schneiden und einrollen.
Mit den Lauchstreifen
abwechselnd auf lange
Holzspieße stecken,
in reichlich Fett
frittieren und salzen.
Getrocknete Pflaumen
und Mangostückchen
darauf stecken.

1 mittelgroße Lauchstange
Salz
1 kleine Dose Mandarinen
5 getrocknete Datteln
Öl zum Frittieren

🕐 **Zubereitungszeit 15 Minuten**

❶ Die Wurzeln und die äußeren
Blätter der Lauchstange abschneiden und die Stange längs halbieren.
Unter fließendem Wasser gründlich
waschen. 10 Lauchstreifen von
2 Zentimeter Breite heraussuchen
und auf 20 Zentimeter Länge
schneiden. Die Lauchstreifen
einrollen und auf Zahnstocher
aufspießen.

❷ In einem Topf 3 Finger hoch
Öl erhitzen. Lauchlocken darin
2–3 Minuten frittieren. Auf
Küchenpapier abtropfen lassen
und salzen.

❸ Mandarinen abschütten und die
Flüssigkeit abtropfen lassen. Datteln

Marinierter Schafskäse

Für 12 Stück

1/2 rote Paprikaschote
1 Fenchelknollenblatt
1 unbehandelte Zitrone
200 g Feta
50 ml Olivenöl
1 TL Oregano
Salz
Pfeffer
1/2 Bund Schnittlauch

🕐 **Zubereitungszeit 10 Minuten**

❶ Paprikaschote und Fenchelblatt waschen und in kleine Stückchen schneiden. Zitrone heiß abwaschen und zur Hälfte in Scheiben schneiden, die andere Hälfte auspressen. Feta in Würfel schneiden und auf einen Teller legen.

❷ Olivenöl, Zitronensaft und Oregano verrühren, Paprika und Fenchel zugeben und mit Salz und Pfeffer abschmecken. Über den Feta gießen und in jedes Stück einen Zahnstocher stecken.

❸ Schnittlauch waschen und trockenschwenken. In Röllchen schneiden und darüber streuen. Den Feta etwas durchziehen lassen und mit Zitronenscheiben garnieren.

Tofutikka

Für 24 Stück

2 EL Tandoorigewürzpulver
100 g Joghurt
2 EL Sojasauce
1 TL Zucker
Salz
300 g fester Tofu
1 TL Öl
1–2 Mangos
1/2 Gurke

🕐 **Zubereitungszeit 170 Minuten
Arbeitszeit 15 Minuten**

❶ Tandoorigewürzpulver, Joghurt, Sojasauce und Zucker in eine Schüssel geben, mit Salz abschmecken und verrühren.

❷ Tofu in Würfel mit 2 1/2 Zentimeter Seitenlänge schneiden und mit der Marinade vermischen. Mindestens 2 Stunden marinieren.

❸ Eine feuerfeste Form mit Öl einfetten. Die Würfel mit der Marinade hineingeben und den Tofu 35 Minuten bei 180 °C (Umluft 160 °C, Gas Stufe 3) backen. Tofustückchen herausnehmen und abkühlen lassen.

❹ Mangos schälen und das Fruchtfleisch vom Kern befreien. Gurke waschen und schälen. Beide Zuta-ten in tofugroße Stücke schneiden. Mit den Tofuwürfeln auf Zahn-stocher stecken und bald servieren.

Tikka, aus Hähnchenfleisch zubereitet, ist ein traditionelles Fingerfoodgericht in Indien. Hähnchennuggets werden in Tandoorigewürz und Joghurt eingelegt und in Lehmöfen gebacken. Tofutikka ist die vegetarische Variante. Der Tofu muss unbedingt fest sein, sonst fällt er beim Backen auseinander.

Chinabällchen in Barbecuesauce

TIPP

Die Chinabällchen lassen sich am besten mit ange-feuchteten Händen formen. So klebt die Masse nicht so leicht.

Für 20 Stück

50 g Zwiebel
je 300 g Möhren und Lauch
3 EL Öl
500 g Tofu
250 g Räuchertofu
1 1/2 TL Curry, 2 EL Sojasauce
2 Eier
100–150 g Mehl
Kräutersalz, Pfeffer
Muskat
Öl zum Frittieren

🕐 **Zubereitungszeit 50 Minuten**

❶ Zwiebel abziehen und fein hacken. Möhren schälen und raspeln. Lauch putzen, waschen und klein schneiden. Öl erhitzen, Zwiebeln bei mittlerer Hitze anbra-ten. Möhren und Lauch zugeben, unter Rühren 2 Minuten braten.

❷ Tofu zerkrümeln, gebratenes Gemüse, Curry, Sojasauce und Eier zugeben und vermengen. So viel Mehl zugeben, bis die Masse bindet. Mit Salz, Pfeffer und Mus-kat kräftig abschmecken. Aus der Masse 20 Bällchen formen.

❸ In einem Topf 3 Finger hoch Öl erhitzen. Bällchen in mehreren Portionen etwa 4 Minuten gold-braun frittieren.

Ananas, Sherry, Soja-sauce und Ingwer geben der Barbecue-sauce eine exotische Note. Mit ihr schmecken die Chinabällchen doppelt so gut (Seite 61).

Barbecuesauce (etwa 500 ml):

1/2 Zitrone
25 g rote Paprikaschote
100 g Zwiebeln
1 Gurke
1/2 frische Ananas
2 EL Öl
300 ml passierte Tomaten
1 EL Sherry, medium
1 EL Sojasauce
1 EL Akazienhonig
1/2 TL Ingwer
Cayennepfeffer
1 TL gekörnte Gemüsebrühe
Salz

❶ Zitrone abreiben und den Saft auspressen. Paprikaschote in kleine Stücke schneiden. Zwiebeln ab-ziehen und zerkleinern. Gurke waschen, Ananas vierteln, Schale und harten Strunk entfernen. Von beiden Zutaten etwa 100 Gramm abschneiden und klein würfeln, den Rest beiseite legen.

❷ Zwiebeln bei schwacher Hitze im Öl glasig dünsten. Alle Zutaten zugeben, aufkochen und bei schwacher Hitze 10 Minuten garen. Mit Salz abschmecken.

❸ Barbecuesauce auskühlen lassen. Restliche Gurke und Ananas in Stückchen schneiden. Die Bällchen mit jeweils 1 Stück Gurke und Ananas auf Zahnstocher stecken und in die Sauce setzen.

Grün-weiß-rot-Sticks

Für 12 Stück

1 dünne, lange Zucchini	
4 EL Olivenöl	
Salz	
Pfeffer	
150 g Mini-Mozzarellakugeln (12 Stück)	
100 g Cocktail-tomaten	
1 Bund Basilikum	
1 TL Aceto balsamico	

🕐 **Zubereitungszeit 20 Minuten**

❶ Zucchini waschen, putzen und in 12 Scheiben schneiden. 2 Esslöffel Öl erhitzen und die Scheiben bei mittlerer Hitze goldgelb braten. Auf Küchenpapier abtropfen lassen. Mit Salz und Pfeffer würzen.

❷ Mozzarellakugeln abtropfen lassen. Tomaten waschen und putzen, je nach Größe halbieren. Basilikum waschen und trockenschwenken. Blätter von den Stängeln zupfen. 12 Stück beiseite legen. Den Rest grob hacken und mit dem restlichen Olivenöl pürieren. Aceto balsamico unterrühren und die Marinade mit Salz und Pfeffer abschmecken.

Handkäse mit Musik ist ein deftiger Snack aus Hessen, der mit Vollkornbrot und Apfelwein, der Musik, serviert wird. Er ist im Handumdrehen zubereitet, dabei kalorienarm und sehr würzig.

❸ Je 1 Zucchinischeibe, Mozzarellakugel, Tomatenstück und Basilikumblatt auf einen Zahnstocher setzen. Auf einem Teller anrichten und mit der Basilikummarinade beträufeln.

Handkäse mit Musik

Für 12 Stück

1 rote Zwiebel	
50 ml Traubenkernöl	
2 EL Weißweinessig	
1 TL Kümmel	
Salz	
Pfeffer	
325 g Harzer Roller	
1/2 Bund Schnittlauch	

🕐 **Zubereitungszeit 35 Minuten Arbeitszeit 5 Minuten**

❶ Zwiebel abziehen und in Ringe schneiden. Traubenkernöl, Weißweinessig und Kümmel verrühren und mit Salz und Pfeffer abschmecken. Harzer Roller auf einem Teller anrichten, Zwiebelringe darüber geben und mit der Marinade begießen. 30 Minuten durchziehen lassen.

❷ Schnittlauch waschen und trockenschwenken. In Röllchen schneiden und über die Käse streuen. Zahnstocher in die Käse stecken und servieren.

Tortellonisticks

Für 15 Stück

1 Packung frische Tortelloni
mit Käsefüllung

400 g Champignons,
mittelgroße Köpfe

4 EL Olivenöl

Salz, Pfeffer

1 rote Paprikaschote

1/2 Bund Schnittlauch

1/2 Bund Dill

1 Knoblauchzehe

1 EL Zitronensaft

🕐 **Zubereitungszeit 20 Minuten**

❶ Tortelloni in reichlich Salzwasser
bissfest kochen, in ein Sieb schütten
und abschrecken.

❷ Champignons mit einem Küchenpapier abreiben. Die Stiele entfernen. 1 Esslöffel Öl erhitzen und die
Champignonköpfe bei schwacher
Hitze unter Rühren braun braten,
mit Salz und Pfeffer würzen und
abkühlen lassen.

❸ Paprikaschote
waschen, halbieren,
Trennwände und Kerne entfernen.
In etwa 2 Zentimeter große Stücke
schneiden. Die Kräuter waschen,
trockenschwenken und zerkleinern.
Knoblauchzehe abziehen und
zerdrücken.

❹ Jeweils zwei Tortelloni, einen
Pilzkopf und ein Stück Paprika auf
einen Zahnstocher spießen und auf
einem Teller anrichten.

❺ Das restliche Öl, Zitronensaft
und Knoblauch verrühren und mit
Salz und Pfeffer abschmecken.
Über den Tortellonisticks
verteilen und mit den
Kräutern bestreuen.

TIPP

Für die Tortelloni-
sticks können Sie
auch Cocktail-
tomaten, Gurken-
stückchen und
Käsewürfel auf die
Spieße stecken.

Linsenbällchen in Joghurt-Dill-Sauce

Für 20 Stück

100 g rote Linsen
25 g Couscous
1 Zwiebel
1 TL Öl
2 EL Tomatenmark
1–2 TL Harissa
1 TL Cumin
1 1/2 TL Koriander
1/2 verquirltes Ei
2 EL Mehl
Salz
Mehl zum Wälzen
Öl zum Braten
1 rote Paprikaschote
1 sehr kleine Gurke

🕐 **Zubereitungszeit 60 Minuten**

❶ Linsen mit 1/4 Liter Wasser zum Kochen bringen und bei schwacher Hitze 10 Minuten garen. Couscous einstreuen und 5 Minuten garen. Ab und zu umrühren. Linsen-Couscous-Masse von der Kochstelle nehmen und 15 Minuten zugedeckt quellen lassen.

❷ Zwiebel abziehen, würfeln und im heißen Öl glasig dünsten. Von der Kochstelle nehmen, mit Tomatenmark, Harissa, Cumin, Koriander, Ei und Mehl zur Linsen-Couscous-Masse geben. Alles vermischen. Mit Salz und Harissa abschmecken.

❸ 20 walnussgroße Bällchen formen, in Mehl wälzen und etwas flachdrücken. In einer Pfanne 1/2 Zentimeter hoch Öl erhitzen. Die Bratlinge portionsweise zuerst bei mittlerer Hitze, dann bei schwacher Hitze von beiden Seiten rotbraun braten. Herausnehmen und das Fett mit Küchenpapier abtupfen.

❹ Paprikaschote waschen, halbieren, Trennwände und Kerne entfernen. In mittelgroße Würfel schneiden. Gurke waschen und würfeln. Von beiden Gemüsen jeweils ein Stück mit einem Bällchen auf einen Zahnstocher stecken.

Joghurt-Dill-Sauce

300 g Joghurt
1 EL Olivenöl
1 großes Bund Dill
1/2 Zitrone
Salz
Pfeffer

Joghurt und Öl verrühren. Dill waschen, trockenschwenken, das Grün von den Stängeln zupfen und klein schneiden. Zitronenschale abreiben und die Zitrone auspressen. Dill und Zitronenschale mit dem Joghurt vermischen. Mit Salz, Pfeffer und Zitronensaft abschmecken. In eine breite Schale füllen und die Linsenbällchen hineinsetzen.

Harissa ist eine rote, sehr scharfe Gewürzpaste aus Marokko. Sie besteht hauptsächlich aus Chili.

Eine perfekte Kombination sind die kalorienarme Joghurt-Dill-Sauce und die scharfen Linsenbällchen. Die Bällchen lassen sich gut schon einige Zeit im Voraus zubereiten. So bleibt am Tag der Party mehr Zeit für die Gäste (Seite 65).

❸ Cinzano, Öl, Zitronenzesten und den restlichen Zitronensaft verrühren. Mit Salz und Pfeffer abschmecken. Über die Gurken-happen geben und 30 Minuten bis zum Servieren gut durchziehen lassen.

Gurken-Zitronen-Happen

Manouri ist ein griechischer Frischkäse aus Schafsmilch, der in Leinensäckchen reift. Er schmeckt sehr sahnig und mild, vergleichbar mit dem italienischen Ricotta, der aber aus Kuh-milch hergestellt wird. In Griechenland wird Manouri gerne pur mit Honig gegessen.

Für 16 Stück

2 Minigurken
1 unbehandelte Zitrone
120 g Manourikäse
2 TL Sahne
1 TL Akazienhonig
Pfeffer
Salz
2 EL Cinzano
2 TL Traubenkernöl

🕐 **Zubereitungszeit 45 Minuten Arbeitszeit 15 Minuten**

❶ Gurken waschen und in 1/2 Zentimeter dicke Scheiben schneiden. Zitrone heiß abwaschen und trocknen. Die Schale zur Hälfte abreiben, von der anderen Hälfte Zesten abreißen. Zitrone auspressen.

❷ Manouri mit einer Gabel zerdrücken. Sahne unterrühren, bis die Masse geschmeidig ist. Mit Zitronenschale und Honig vermischen. Mit Pfeffer, Salz und Zitronensaft abschmecken. Die Masse in eine Spritztüte füllen und auf die Hälfte der Gurkenscheiben spritzen. Mit einer Gurkenscheibe abdecken. Einen Zahnstocher hineinstechen.

Champignons mit Pesto

Für 16 Stück

1 Scheibe Vollkorntoast
1 EL Pesto
2 EL geriebener Käse
1/2 verquirltes Ei
400 g Champignons, ca. 4–5 cm große Köpfe
1 Knoblauchzehe
2 EL Butter
1 EL Weißwein
Salz
Pfeffer
3 EL gehackte Pistazien

🕐 **Zubereitungszeit 35 Minuten**

❶ Brot toasten und fein zerkrümeln. Mit Pesto, Käse und Ei vermischen. Pilze putzen. Stiele herausbrechen und fein hacken. Knoblauch abziehen und klein würfeln.

❷ Etwas Butter erhitzen, gehackte Champignonstiele und Knoblauchwürfel bei schwacher Hitze anbraten. Mit Wein ablöschen. Zur

Brotmasse geben, alles vermischen. Mit Salz und Pfeffer kräftig abschmecken.

❸ Eine Backform einfetten. Pilzköpfe mit der Masse füllen. In die Form setzen. Restliche Butter in Flöckchen über die Pilze verteilen. 15–20 Minuten bei 200 °C (Umluft 180 °C, Gas Stufe 4) backen, bis sie gebräunt sind. Pilze mit Pistazien bestreuen, Zahnstocher hineinstechen und anrichten. Lauwarm oder kalt mit Toast servieren.

Röllchen in Thymian

Für 15 Stück

2 mittlere Zucchini
5 getrocknete Aprikosen
1 Bund Thymian
2 TL Akazienhonig
100 g Ricotta
Salz
Pfeffer
2 TL Weißweinessig
2 EL Traubenkernöl

 **Zubereitungszeit 15 Minuten**

❶ Zucchini waschen und Stiel- und Blütenansatz abschneiden. Längs in 3 Millimeter dünne Scheiben schneiden (mit der Brotschneidemaschine). Nur die Scheiben aus der Zucchinimitte verwenden. Diese quer halbieren und etwa 5 Minuten

in reichlich Wasser kochen, bis sie weich sind. Streifen abtropfen und auskühlen lassen.

❷ Aprikosen fein würfeln. Thymian waschen, trockenschwenken und die Blättchen von den Stängeln streifen. Ricotta mit der Hälfte der Aprikosen, der Hälfte des Thymians und 1 Teelöffel Honig vermischen. Mit Salz und Pfeffer abschmecken.

❸ Je 1/2 Teelöffel Ricottamasse auf einen Zuchinistreifen geben und aufrollen. Einen Zahnstocher hineinstechen und anrichten.

❹ 1 Teelöffel Honig, den Essig und das Öl mit den restlichen Thymianblättchen und den Aprikosen vermengen. Mit Salz und Pfeffer abschmecken. Die Marinade über die Röllchen geben und etwas durchziehen lassen.

Traubenkernöl ist reich an mehrfach ungesättigten Fettsäuren und somit sehr wertvoll für den menschlichen Körper. Es zeichnet sich auch durch seinen intensiven Geschmack aus, der kalten Speisen wie Salaten, Dressings und Dips eine charakteristische Note gibt.

Kartoffeln – gut in Form

Indische Kartoffelsäckchen

Für 10 Stück

2 EL Butterschmalz
150 g Mehl
Salz
200 g Kartoffeln
1 grüne Chilischote
1/2 TL Cumin
1/2 TL schwarze Senfkörner
1/4 TL Fenchelsaat
1 TL Garam Masala
1 Spritzer Zitronensaft
1 Lauchstange
Öl zum Frittieren

🕐 **Zubereitungszeit 50 Minuten**

❶ 1 Esslöffel Butterschmalz in einem kleinen Topf zerlassen. Mit Mehl und 1/4 Teelöffel Salz in eine Schüssel geben. 3–4 Esslöffel warmes Wasser nach und nach zugeben und die Zutaten 10 Minuten auf einer bemehlten Arbeitsfläche zu einem elastischen Teig kneten. Eine heiß ausgespülte Schüssel über den Teig stülpen und den Teig mindestens 30 Minuten ruhen lassen.

❷ Für die Füllung Kartoffeln mit einem Sparschäler schälen und in 1 Zentimeter kleine Würfel schneiden. Chilischote waschen, aufschneiden, die Trennwände und Kerne entfernen und die Schote zerkleinern.

❸ Butterschmalz in einem Topf erhitzen und Cumin, schwarze Senfkörner, Fenchelsaat und Chili bei mittlerer Hitze einige Sekunden unter Rühren braten. Die Kartoffelstücke dazugeben. 1 Minute unter ständigem Rühren weiterbraten und salzen, dann etwa 50 Milliliter Wasser dazugeben. Zugedeckt etwa 10 Minuten dünsten, bis die Kartoffelstückchen beginnen zu zerfallen. Mit Garam Masala, Salz und Zitronensaft abschmecken.

❹ Von der Lauchstange drei Blätter abtrennen, waschen und in kochendem Wasser kurz blanchieren und abschrecken. Auf der Arbeitsfläche ausbreiten und der Länge nach in 1/2 Zentimeter breite und etwa 15 Zentimeter lange Streifen schneiden.

❺ Teig 1 Millimeter dünn auf einer bemehlten Arbeitsfläche ausrollen. Kreise von etwa 12 Zentimeter Durchmesser ausschneiden. Mit feuchten Händen aus der Kartoffelmasse 10 Bällchen formen und in die Mitte der Teigkreise setzen. Kreisränder hochklappen, über der Füllung zusammendrücken und mit den Lauchstreifen zubinden.

❻ In einen Topf 3 Finger hoch Öl einfüllen und die Säckchen darin portionsweise ausbacken. Auf Küchenpapier abtropfen lassen.

Garam Masala gehört zur nordindischen Küche und heißt übersetzt »heiße Gewürze«. Es ist eine Mischung aus 8 bis 13 aromatischen Gewürzen. Einfaches Garam Masala enthält Kreuzkümmel, Koriander, Kardamom, Zimt und Nelken. Scharfen Mischungen sind zusätzlich Chilischoten beigemengt. Fertige Mischungen erhalten Sie in Indien-Shops.

❹ Backblech einfetten. Kartoffeln darauf setzen. Die Butter in Flöckchen schneiden und auf die Spieße setzen. Das Blech in den Backofen schieben (mittlere Schiene) und die Kartoffeln bei 200 °C (Umluft 180 °C, Gas Stufe 4) etwa 25 Minuten backen.

Kartoffeltürme

Für 8 Stück

8 kleine Kartoffeln (fest kochend), je ca. 30 g

50 g Ziegengouda oder Schafsgouda

1 EL Tapenade (Rezept Seite 28 oder fertig gekauft)

1–2 EL Butter

🕐 **Zubereitungszeit 35 Minuten Arbeitszeit 15 Minuten**

❶ Kartoffeln waschen, in etwa 8 Minuten bissfest garen, abschrecken und schälen.

❷ Ziegengouda in 16 dünne Quadrate schneiden und die Tapenade gleichmäßig darauf verstreichen.

❸ Jede Kartoffel dreimal quer durchschneiden, dabei eines der Endstückchen nicht mitverwenden. Mit den Goudascheiben füllen und wieder zusammensetzen. Auf die geraden Flächen setzen und mit Zahnstochern fixieren.

TIPP

Probieren Sie die Kartoffeltürme auch einmal mit Parmesankäse, Thymian und Zwiebelscheiben.

Gefüllte Schmandkartoffeln

Für 10 Stück

5 neue Kartoffeln, jeweils ca. 40 g

1 kleine Lauchstange, ca. 75 g

2 EL Schmand

1/2 verquirltes Ei

Salz, Pfeffer

geriebene Muskatnuss

🕐 **Zubereitungszeit 35 Minuten Arbeitszeit 15 Minuten**

❶ Kartoffeln unter fließendem Wasser gründlich abbürsten und in etwa 8 Minuten bissfest garen.

❷ Vom Lauch die Wurzeln und die obersten angetrockneten Blattteile entfernen. Einige Zentimeter oberhalb vom Wurzelansatz nach oben hin aufschneiden, mit einem Wasserstrahl den Sand herausspülen und den Lauch sehr fein schneiden. Den Lauch mit Schmand und Ei vermischen und mit Salz, Pfeffer und Muskat kräftig abschmecken.

❸ Kartoffeln längs halbieren und mit einem Kugelausstecher aushöhlen. Dabei einen Rand von etwa 1/2 Zentimeter

stehen lassen. Die Kartoffelmasse mit einer Gabel fein zerdrücken und unter das Lauchgemisch mengen.

❹ Ein Backblech mit Öl einfetten. Je 1 Teelöffel Masse in die Kartoffeln füllen und auf das Backblech setzen. Das Backblech in den kalten Backofen schieben (mittlere Schiene) und die Kartoffeln bei 200 °C (Umluft 180 °C, Gas Stufe 4) etwa 20 Minuten backen.

Statt Lauch können Sie auch 40 Gramm gemischte Kräuter oder 75 Gramm gedünsteten und gehackten Blattspinat verwenden.

Kartoffeln aushöhlen

❶ Zum Aushöhlen eignen sich fest kochende Kartoffelsorten. Mehlig kochende zerbröckeln.

❷ Kartoffeln von etwa 40 Gramm haben die ideale Größe für das Fingerfood-Buffet.

❸ Am besten lassen sich die gekochten Kartoffeln mit einem Teelöffel aushöhlen.

Haselnusskartoffeln mit Rosmarin

Für 8 Stück

Haselnusstofu ist eine würzige Tofuspezialität mit einer Beimischung von Nüssen und Gewürzen und schmeckt auch pur auf Brot sehr gut. Er ist in Naturkostgeschäften erhältlich.

8 kleine Kartoffeln (fest kochend)
50 g Haselnusstofu
1/2 EL Sojasauce
1/2 TL Wildgewürz
Salz, Pfeffer
3 EL Öl
1–2 Stängel frischer Rosmarin
2 EL gehackte Haselnüsse

🕐 **Zubereitungszeit 35 Minuten Arbeitszeit 15 Minuten**

❶ Kartoffeln waschen, bissfest garen und schälen. Tofu in 8 dünne, quadratische Scheiben schneiden, mit Sojasauce bestreichen. Mit Wildgewürz, Salz und Pfeffer würzen und mit 1/2 Esslöffel Öl beträufeln. Rosmarin waschen und trockenschwenken.

❷ Kartoffeln dreimal quer durchschneiden. Ein Endstück nicht verwenden. Kartoffeln mit jeweils 2 Tofuscheiben und 4 Rosmarinnadeln füllen. Zusammensetzen und Zahnstocher hineinstechen.

❸ Ein Backblech einölen. Kartoffeln mit Nüssen bestreuen und auf das Blech setzen. Mit dem restlichen Öl beträufeln und die Kartoffeln etwa 20 Minuten bei 200 °C (Umluft 180 °C, Gas Stufe 4) backen.

Zucchinikartoffeln mit Basilikum

Für 8 Stück

8 kleine Kartoffeln (fest kochend)
1/2 Bund Basilikum
5 EL Olivenöl
1 dünne Zucchini
Salz, Pfeffer
1–2 EL geriebener Parmesan

🕐 **Zubereitungszeit 35 Minuten Arbeitszeit 15 Minuten**

❶ Kartoffeln waschen, bissfest garen, schälen. Basilikum waschen und trockenschwenken. 8 Blättchen beiseite legen. Den Rest grob hacken. Mit 2 Esslöffeln Öl pürieren.

❷ Zucchini waschen, in 16 dünne Scheiben schneiden. Mit Basilikumöl bestreichen, salzen, pfeffern und Käse darüber streuen.

❸ Kartoffeln dreimal quer durchschneiden. Ein Endstück nicht verwenden. Kartoffeln mit je 2 Zucchinischeiben füllen, zusammensetzen und Zahnstocher hineinstechen.

❹ Ein Backblech einölen und die Kartoffeln darauf setzen. Die Sticks mit dem restlichen Öl beträufeln und etwa 20 Minuten bei 200 °C (Umluft 180 °C, Gas Stufe 4) backen. Mit Basilikum dekorieren.

Bei den Zucchinikartoffeln mit Basilikum kann man kaum wieder aufhören zu probieren (Seite 73).

Eventuell Wasser zugeben. Mit Salz, Pfeffer und Muskat abschmecken.

❸ Waffeleisen mit Öl einfetten und je eine Kelle Teig hineingeben. Nacheinander 8 goldgelbe Waffeln backen.

Kross gebackene Kartoffelwaffeln

Für 8 Stück

250 g Kartoffeln
50 g Butter
200 g Vollkornweizenmehl
3 Eier
1 TL Majoran
2 TL Thymian
200 g Sahne
200 ml Milch
Salz, Pfeffer
geriebene Muskatnuss

🕐 **Zubereitungszeit 50 Minuten Arbeitszeit 35 Minuten**

Schmand ist ein stichfester Sauerrahm mit 24 % Fettgehalt. Ersetzbar ist er durch saure Sahne (10 % Fettgehalt) und Creme fraîche (30–35 % Fettgehalt).

❶ Kartoffeln waschen, mit der Schale weich kochen und schälen. Durch eine Kartoffelpresse drücken oder auf einer Gemüsereibe raspeln.

❷ Butter zerlassen. Mit Mehl, geriebenen Kartoffeln, Eiern, Majoran und Thymian in eine Schüssel geben und mit Sahne und Milch zu einem dick fließenden Teig rühren.

Gefüllte Pilzkartoffeln

Für 10 Stück

10 neue Kartoffeln, je ca. 40 g
100 g Champignons
1 Stängel Petersilie
1 kleine Zwiebel
2 EL Butter
1 EL Sahne
1 gehäufter TL Schmand
1/2 verquirltes Ei
Salz, Pfeffer

🕐 **Zubereitungszeit 35 Minuten Arbeitszeit 15 Minuten**

❶ Kartoffeln abbürsten und in etwa 8 Minuten bissfest garen. Pilze putzen, klein schneiden. Petersilie waschen, trockenschwenken, die Blätter von den Stängeln zupfen und fein hacken. Zwiebel abziehen und zerkleinern.

❷ 1 Esslöffel Butter erhitzen, die Zwiebel bei mittlerer Hitze anbraten. Pilze zugeben und weich braten.

Sahne und Schmand zufügen, kurz aufkochen. Von der Kochstelle nehmen.

❶ Die Kartoffeln waschen, mit der Schale weich kochen, schälen und durch eine Kartoffelpresse drücken oder mit einer Gemüsereibe raspeln.

❸ Kartoffeln längs halbieren. Bis auf 1 Zentimeter Rand aushöhlen. Ausgehöhltes mit einer Gabel zerdrücken, mit Ei und Petersilie unter die Pilze mischen. Mit Salz und Pfeffer abschmecken.

❷ Knoblauch abziehen und zerdrücken. Die Kartoffelmasse mit Olivenöl, Essig, Knoblauch und der Hälfte der Mandeln vermischen und mit Salz und Pfeffer abschmecken. Kleine Bällchen formen und mit dem restlichen Mandelmehl bestreuen.

❹ Je 1 Teelöffel Masse in die Kartoffeln füllen. Butterflöckchen darauf geben und auf ein geöltes Backblech setzen. Die Kartoffeln 20 Minuten bei 200 °C (Umluft 180 °C, Gas Stufe 4) backen.

❸ Die Zitronen heiß abwaschen und trockenreiben. In 10 Scheiben schneiden und die Bällchen darauf setzen. Mit den Oliven garnieren.

Griechische Kartoffel-Mandel-Bällchen

Für 10 Stück

750 g Kartoffeln
5 Knoblauchzehen
100 ml Olivenöl
30 ml Weißweinessig
4 EL gemahlene Mandeln
Salz, Pfeffer
3 unbehandelte Zitronen
10 grüne Oliven mit Paprikafüllung

🕐 **Zubereitungszeit 30 Minuten**

Kartoffeln mit Shiitake und Paprika

Für 10 Stück

5 Shiitakepilze, getrocknet
5 neue Kartoffeln, jeweils ca. 40 g
1 kleine Zwiebel
50 g Seitan
50 g rote Paprikaschote
3–4 EL Öl
1 EL Reiswein oder trockener Sherry
1 EL Sojasauce
Salz
Pfeffer
1/2 verquirltes Ei

🕐 **Zubereitungszeit 90 Minuten
Arbeitszeit 15 Minuten**

❶ Shiitakepilze 1 Stunde in warmem Wasser einweichen.

❷ Kartoffeln unter laufendem Wasser abbürsten und etwa 8 Minuten garen. Sie sollten noch Biss haben.

❸ Zwiebel abziehen, Seitan und Shiitakepilze in einem Sieb abtropfen lassen, Paprika putzen und alle Zutaten fein würfeln. 1 Esslöffel Öl in einer Pfanne erhitzen und die Zwiebel bei schwacher bis mittlerer Hitze glasig dünsten. Paprika, Seitan und Shiitakepilze dazugeben und 3 Minuten unter ständigem Rühren braten. Mit Reiswein und Sojasauce ablöschen und mit Salz und Pfeffer kräftig abschmecken.

❹ Kartoffeln längs halbieren, aushöhlen, dabei 1 Zentimeter Rand stehen lassen. Die Kartoffelmasse mit einer Gabel fein zerdrücken und mit dem Ei unter die Gemüse-Seitan-Masse mischen.

❺ Ein Backblech einfetten. Je 1 Teelöffel Masse in die Kartoffeln füllen, auf das Backblech setzen, mit dem restlichen Öl beträufeln. Backblech in den kalten Backofen schieben (mittlere Schiene) und die Kartoffeln bei 200 °C (Umluft 180 °C, Gas Stufe 4) etwa 15 Minuten backen.

Seitan wird aus Weizeneiweiß hergestellt, ist fettarm und rein pflanzlich. Deshalb enthält es kein Cholesterin, aber für den menschlichen Körper hochwertiges Eiweiß.

Pilze, Paprika und Kartoffeln lassen sich kaum schmackhafter kombinieren als bei den gefüllten Kartoffeln. Hier können Sie schlemmen ohne Reue (Seite 77).

Griechische Vorspeisenplatte

Feiern Sie doch Ihre nächste Party unter einem bestimmten Motto. Wie wäre es mit »Schlemmen wie im Alten Griechenland?« Stellen Sie für Ihre Gäste eine griechische Vorspeisenplatte zusammen: Geformtes Kartoffel-Mandel-Püree mit Spinat-Chili-Bällchen (Seite 18) umgeben, Weinblätter mit Käse (Seite 52), Schafskäsestückchen dazulegen und mit Oliven, scharfen Peperoni und frischen Feigen garnieren. Zusammen mit Fetaschnecken (Seite 118), griechischem Bauernsalat und Retsina wird daraus ein echter griechischer, gemütlicher Abend.

❸ Süßkartoffeln schälen, in 10 Scheiben von etwa 2 Zentimeter Dicke schneiden. Die Scheiben auf einer Seite etwas aushöhlen. Das Ausgehöhlte zerdrücken und unter die Walnussfüllung mischen.

❹ Kartoffeln auf die Tofustücke setzen und mit je 1 Teelöffel Masse füllen. Kartoffeln auf ein gefettetes Backblech setzen. Blech in den kalten Backofen schieben (mittlere Schiene) und die Bataten 20 Minuten bei 200 °C (Umluft 180 °C, Gas Stufe 4) backen.

Batate mit Walnuss

Für 10 Stück

2 längliche Süßkartoffeln
100 g Haselnusstofu
1 EL Sojasauce
1 Stängel Petersilie
40 g gehackte Walnüsse
2 TL Crème fraîche
2 TL verquirltes Ei
1/2 TL gemahlener Ingwer
Salz, Pfeffer

🕐 **Zubereitungszeit 50 Minuten**
Arbeitszeit 20 Minuten

❶ Süßkartoffeln waschen, mit der Schale in etwa 15 Minuten bissfest kochen. Tofu in 10 Quadrate etwa in der Größe der Süßkartoffeln schneiden. Die Sojasauce darüber träufeln.

❷ Petersilie waschen, trockenschwenken. Blätter von den Stängeln zupfen und fein hacken. Walnüsse und gehackte Petersilie mit Crème fraîche und Ei vermischen. Mit Salz, Ingwer und Pfeffer abschmecken.

TIPP

Füllen Sie die Bällchen zur Abwechslung mit frischen Salbeiblättern, frischem Basilikum, Schafskäse oder grünen Oliven mit Paprikafüllung.

Süßkartoffeln oder Bataten werden in allen wärmeren Ländern angebaut. Es gibt rot- und weiß-fleischige Sorten. Sie werden wie Kartoffeln verarbeitet, sind aber botanisch nicht mit ihnen verwandt.

Kartoffel-Käse-Bällchen

Für 15 Stück

250 g Kartoffeln
50 ml Milch
50 g Parmesan
1 Ei
100 g Mehl
Salz, Pfeffer
Muskat
100 g Gruyère
200 g kurze Fadennudeln
Öl zum Frittieren

🕐 **Zubereitungszeit 45 Minuten**

❶ Kartoffeln waschen, mit der Schale weich kochen und schälen. Die noch warmen Kartoffeln durch eine Kartoffelpresse drücken.

❷ Die Milch erwärmen und den Parmesan reiben. Das Ei trennen und das Eigelb mit der Milch und dem Parmesan zur Kartoffelmasse geben. Das Mehl esslöffelweise zufügen und zu einem formbaren Teig vermischen. Mit Salz, Pfeffer und Muskat kräftig abschmecken.

❸ Gruyère in 15 kleine Würfel schneiden. Mit eingemehlten Händen aus der Kartoffelmasse 15 Kugeln formen, je ein Käsestück hineindrücken. Bällchen schließen.

❹ Das Eiweiß verschlagen und auf einen Teller gießen. Auf einen weiteren Teller die Fadennudeln geben. Die Bällchen nacheinander in Eiweiß und Fadennudeln wälzen.

❺ In einen kleinen Topf 3 Finger hoch Öl einfüllen und die Bällchen in mehreren Portionen goldbraun frittieren. Auf Küchenpapier abtropfen lassen. Schmecken warm und kalt.

Kartoffelcrostini

Für 20 Stück

1 kg mittelgroße Kartoffeln	
3 EL Olivenöl	
Salz	
4 Tomaten	
125 g Mozzarella	
1 kleines Glas Basilikumpesto	
Pfeffer	

🕐 **Zubereitungszeit 35 Minuten**
Arbeitszeit 15 Minuten

❶ Kartoffeln unter fließendem Wasser bürsten und quer in 2 Zentimeter dicke Scheiben schneiden. Backblech mit wenig Öl einfetten und die Kartoffelscheiben darauf setzen. Mit Öl bepinseln und salzen. Das Backblech in den kalten Backofen schieben (mittlere Schiene) und die Kartoffeln etwa 20 Minuten bei 200 °C (Umluft 180 °C, Gas Stufe 4) goldgelb backen.

❷ Tomaten waschen und in Scheiben schneiden. Mozzarella abtropfen lassen und fein schneiden. Auf die gebackenen Kartoffeln etwas Pesto streichen und jeweils 1 Tomatenscheibe und etwas Mozzarella darauf geben. Mit Salz und Pfeffer würzen. Kurz grillen, bis der Käse zerläuft.

Bereiten Sie die Kartoffelcrostini mit Tapenade oder Knoblauchöl zu. Sie schmecken auch gut mit Kräutern und etwas Käse überbacken.

Snacks
international

Falafel mit Joghurt- und Sesamsauce

Für 8 Stück

Kichererbsenbällchen:

200 g Kichererbsen
je 1 TL Curry und Koriander
2 TL Cumin
1/2 TL edelsüßes Paprikapulver
1 TL Salz, 1 Prise Pfeffer
Saft 1/2 Zitrone
2 EL Mehl
1/2 Bund Petersilie
Öl zum Frittieren

Saucen:

2 Knoblauchzehen
150 g Joghurt
1 EL Olivenöl
Salz, Cayennepfeffer
100 g Sesammus
Saft einer 1/2 Zitrone

Weitere Zutaten:

1/4 Kopf Eisbergsalat
2 Tomaten, 1/4 Gurke
1 Bund Petersilie
2 Fladenbrote (22 cm Durchmesser)

🕐 **Einweichzeit 12 Stunden**
Zubereitungszeit 45 Minuten

❶ Kichererbsen 12 Stunden einweichen. Abgießen, mit 50 Milliliter Wasser pürieren, mit Gewürzen und Mehl vermengen und abschmecken. Petersilie waschen, trockenschwenken, die Blätter von den Stängeln zupfen, fein hacken und untermischen.

❷ Aus der Masse 32 Bällchen formen. Einen Topf 4 Finger hoch mit Öl füllen und die Bällchen nach und nach goldbraun frittieren. Auf Küchenpapier abtropfen lassen.

❸ Für die Joghurtsauce eine Knoblauchzehe schälen und zerdrücken. Joghurt mit Öl und Knoblauch verrühren. Mit Salz und Pfeffer abschmecken.

❹ Für die Sesamsauce eine Knoblauchzehe abziehen und zerdrücken. Sesammus mit 100 Milliliter Wasser glatt rühren (Paste dickt nach). Knoblauch und Zitronensaft zugeben. Mit Salz und Pfeffer abschmecken.

❺ Salat waschen, trockenschwenken und in feine Streifen schneiden. Tomaten und Gurke waschen und würfeln. Petersilie waschen, trockenschwenken, die Blätter von den Stängeln zupfen und fein hacken. Fladenbrote vierteln und kurz im Grill rösten.

❻ Die Brote an der Spitze beginnend bis fast zum Rand aufschneiden. Aufklappen und mit Gemüse, Salat, Petersilie und jeweils vier Bällchen füllen. 3 Esslöffel Joghurt- oder Sesamsauce darüber geben und zusammenklappen. Falafeln in Pergamentpapier und Serviette servieren.

TIPP

Wenn Sie es nicht so üppig mögen, bereiten Sie einfach nur die Kichererbsenbällchen zu und servieren Sie sie mit den beiden Saucen. Dazu die Saucen in flache Schalen gießen und die Bällchen mit Holzspießchen hineinsetzen. Mit Zitronenschnitzen, Cocktailtomaten und Petersilie garnieren.

Arabische Fladen

Für 8 Stück

250 g Auberginen

150 g Zwiebeln

2 Knoblauchzehen

1 Bund Minze oder Petersilie

2 EL Pinienkerne

2 EL Mandelstifte

250 g geschälte Tomaten (Dose)

4 EL Olivenöl

1 TL Cumin, 1 TL edelsüßes Paprika

1/2 TL Koriander

je 1 Prise Nelken, Pfeffer und Zimt

Salz, Cayennepfeffer

etwas Zitronensaft

4 dünne Weizenfladen, ca. 20 cm Durchmesser

4 EL fester Joghurt

🕐 **Zubereitungszeit 35 Minuten Arbeitszeit 20 Minuten**

❶ Auberginen waschen und in kleine Stücke schneiden. Zwiebeln und Knoblauch abziehen und fein würfeln. Minze waschen, trockenschwenken und fein hacken. Pinienkerne und Mandelstifte in einer Pfanne ohne Fett rösten. Tomaten in einem Sieb abtropfen lassen und grob hacken.

❷ Auberginen bei schwacher Hitze im Öl weich braten. Zwiebeln und

Knoblauch zugeben und glasig dünsten. Tomaten und Gewürze zugeben und aufkochen. 5 Minuten bei schwacher Hitze kochen. Mit Zitronensaft und Salz abschmecken.

❸ Fladen mit der Masse dünn bestreichen, Pinienkerne, Mandeln und Minze darüber streuen und Joghurt darauf geben. Dicht aufrollen und in der Mitte durchschneiden. Mit Butterbrotpapier umwickeln und im Backofen bei 140 °C (Umluft 120 °C, Gas Stufe 1) 15 Minuten anwärmen.

Miniquiches mit Birne

Für 16 Stück

125 g kalte Butter

3 Eier

1/2 TL Salz

250 g Mehl

2 Birnen, 1 Zitrone

200 g Roquefort

200 g Schmand

Pfeffer, Muskat

100 g Walnusshälften

🕐 **Zubereitungszeit 70 Minuten**

❶ Butterstückchen, 1 Ei und Salz zum Mehl geben. Mit dem Handrührer zu einem glatten Teig kneten. Zugedeckt im Kühlschrank 30 Minuten ruhen lassen.

Olivenöl gibt es in verschiedenen Qualitätsstufen: Natives Öl ist kaltgepresstes Öl, das es in den Qualitätsstufen extra, fein und mittelfein gibt – je nachdem, aus welcher Pressung das Öl stammt. Die höchste Qualitätsstufe ist das native Olivenöl extra.

❷ Zitrone auspressen. Birnen waschen, schälen, längs vierteln (kleine Birnen nur halbieren), das Gehäuse entfernen und mit dem Zitronensaft beträufeln. Knapp mit Wasser bedeckt bei schwacher Hitze in etwa 5 Minuten bissfest garen. Mit einem Schaumlöffel herausnehmen, abtropfen lassen.

❸ Roquefort zerdrücken, mit Schmand und den restlichen Eiern mischen. Mit Pfeffer und Muskat abschmecken.

❹ Teigformen (6 Zentimeter Durchmesser) einfetten und den Backofen auf 200 °C (Umluft 180 °C, Gas Stufe 4) vorheizen. Teig auf einer bemehlten Arbeitsfläche ausrollen. Formen auskleiden.

❺ Jeweils 1 Esslöffel Käsemasse auf den Teig geben. Birnen in dünne Streifen schneiden. Die Quiches fächerartig belegen. Die Formen auf ein Backblech setzen und die Quiches 20 Minuten backen. Auskühlen lassen und aus den Formen lösen. Mit Nusshälften garnieren und lauwarm oder kalt servieren.

Börek mit Käse

Für 12 Stück

200 g	Schafskäse
1/2 Bund Petersilie	
1 kleine Zwiebel	
1 Knoblauchzehe	
100 g Quark	
1 TL Oregano	
Pfeffer, Salz	
12 Yufkateigblätter	
1 Ei	
Öl zum Frittieren	

 **Zubereitungszeit 25 Minuten**

❶ Käse mit einer Gabel zerdrücken. Petersilie waschen, trockenschwenken, die Blätter von den Stängeln zupfen und fein hacken. Zwiebel und Knoblauch abziehen und fein hacken. Petersilie, Zwiebel und Knoblauch mit Quark und Oregano zur Käsemasse geben und mischen. Mit Pfeffer und Salz abschmecken.

❷ Teigblätter auseinander breiten, in Dreiecke schneiden, mit Wasser bestreichen. Ei verquirlen und Teigspitzen bepinseln. 1 Esslöffel Füllung auf den breiten Teil des Dreiecks geben, die Seitenränder nach innen einschlagen. Zur Spitze aufrollen.

❸ Einen Topf 3 Finger hoch mit Öl füllen und Röllchen frittieren.

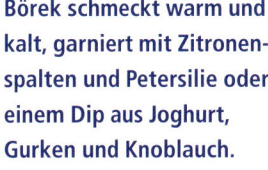

Börek schmeckt warm und kalt, garniert mit Zitronenspalten und Petersilie oder einem Dip aus Joghurt, Gurken und Knoblauch.

Crêpes
mit Pfifferlingen

Für 8 Stück

Crêpes:

150 g Mehl
2 Eier
Salz
350 ml Milch
8 TL Butterschmalz

Füllung:

500 g Pfifferlinge
60 g Schalotten
1 Knoblauchzehe
1/2 Bund Petersilie
1 EL Butterschmalz
Salz, Pfeffer
100 g Crème fraîche
etwas Zitronensaft

🕐 **Zubereitungszeit 60 Minuten
Arbeitszeit 40 Minuten**

❶ Mehl sieben, Eier und Salz zugeben. Mit der Milch zu einem dünnflüssigen Teig verrühren. 30 Minuten quellen lassen.

❷ Pfifferlinge waschen, putzen und klein schneiden. Schalotten und Knoblauch abziehen, fein würfeln. Die Petersilie waschen, trockenschwenken, Blätter von den Stängeln zupfen, fein hacken.

❸ 1 Esslöffel Schmalz erhitzen. Bei starker Hitze die Pfifferlinge etwa 4 Minuten anbraten. Schalotten und Knoblauch zugeben und weich braten. Mit Salz und Pfeffer würzen. Crème fraîche einrühren. Die Pfanne von der Kochstelle nehmen, Petersilie und Zitronensaft zugeben.

❹ 1 Teelöffel Butterschmalz in einer beschichteten Pfanne erhitzen, eine kleine Kelle Crêpeteig in die Pfanne geben und den Teig durch Drehen gleichmäßig dünn verteilen. Bei mittlerer Hitze braten, bis der Teig durchgestockt ist. Crêpe auf einen Teller gleiten lassen und auf die gleiche Weise sieben weitere Crêpes backen.

❺ Je 1 Esslöffel Füllung auf einer Crêpehälfte verteilen, zusammenklappen und von der schmalen Seite her zweimal zusammenfalten. Zum Servieren in Pergamentpapier wickeln. In eine vorgewärmte Schüssel geben.

TIPP

Pfifferlinge sind oft sehr sandig. Die Pilze zum Putzen mit Mehl einstäuben und kurz mit Wasser durchspülen. In ein Sieb schütten und kurz abbrausen. Abtropfen lassen und leicht trockenreiben. Das Mehl bindet den Sand, und dieser kann so leichter herausgeschwemmt werden.

Seitan-Gemüsefüllung

Für 15 Füllungen

5 getrocknete Shiitakepilze
70 g Seitan
50 g rote Paprikaschote
2 EL Mungsprossen
1 kleine Zwiebel
1 Knoblauchzehe
1 walnussgroßes Stück Ingwer
2 EL Öl
1 EL Sojasauce
1 EL Reiswein
Salz
Pfeffer

Minifrühlingsrollen

Für 30 Stück

Teig:
80 g Butter, 4 Eier
400 g Mehl, Salz

🕐 **Zubereitungszeit 70 Minuten
Einweichzeit 60 Minuten**

❶ Butter zerlassen und Eier trennen. Mehl in eine Schüssel sieben und Butter, Eigelbe und Salz zugeben. Etwa 100 Milliliter warmes Wasser nach und nach zugeben und die Zutaten zu einem elastischen Teig kneten. Eine heiß ausgespülte Schüssel über den Teig stülpen und den Teig 30 Minuten ruhen lassen.

❷ Den Teig hauchdünn ausrollen. 30 Teigstücke, etwa 8 x 12 Zentimeter groß, mit einem Teigrädchen herausschneiden. Das Eiweiß verschlagen und die Ränder damit bestreichen. Je 1 Teelöffel Füllung auf die Teigstücke geben, die Seitenränder einschlagen und von unten aufrollen. In einen Topf 3 Finger hoch Öl einfüllen und die Frühlingsrollen portionsweise hellbraun frittieren.

Die Zubereitungszeit bezieht sich auf die gesamte Herstellung der gefüllten Minifrühlingsrollen.

❶ Shiitakepilze 1 Stunde in warmem Wasser einweichen.

❷ Seitan und die eingeweichten Shiitakepilze abtropfen lassen und fein würfeln. Paprikaschote in kleine Stückchen schneiden. Sprossen waschen und abtropfen lassen. Zwiebel und Knoblauch abziehen und sehr klein würfeln. Ingwer schälen und sehr fein hacken.

❸ Knoblauch und Ingwer bei starker Hitze kurz in Öl anbraten. Zwiebel, Seitan, Shiitakepilze und Paprika zufügen. 3 Minuten unter weiterem Rühren braten. Sprossen zugeben und mit Sojasauce und Reiswein ablöschen. Kräftig mit Salz und Pfeffer abschmecken. Frühlingsrollen damit füllen.

Spinatfüllung

Für 15 Füllungen

5 getrocknete Shiitakepilze
200 g frischer Blattspinat
20 g Glasnudeln
1 kleines Stück Ingwer
1 Knoblauchzehe
1/2 rote Chilischote
2 EL Öl
1 EL Sojasauce
1 EL Reiswein
Salz

❶ Shiitakepilze 1 Stunde in warmem Wasser einweichen.

❷ Dicke Rippen der Spinatblätter entfernen. Spinat waschen. Tropfnass in einen Topf geben und zugedeckt bei mittlerer Hitze zusammenfallen lassen. In ein Sieb gießen, abtropfen lassen und hacken.

❸ Glasnudeln mit kochendem Wasser überbrühen. 8 Minuten ziehen lassen. Wasser abgießen und Nudeln klein schneiden.

❹ Shiitakepilze abtropfen lassen, Stiele entfernen und fein würfeln. Ingwer schälen und fein hacken, Knoblauch abziehen und durch die Knoblauchpresse drücken. Die Chilischote waschen, längs aufschlitzen, Kerne entfernen und klein würfeln.

❺ Ingwer und Knoblauch im heißen Öl bei starker Hitze kurz anbraten. Shiitakepilze zugeben und 2 Minuten braten. Spinat und Nudeln zugeben und erhitzen. Mit Sojasauce, Reiswein und Salz abschmecken. Die Frühlingsrollen damit füllen.

Glasnudeln werden aus Mungbohnen hergestellt und sind schnell zubereitet: Sie brauchen nur mit kochendem Wasser überbrüht werden und einige Minuten darin ausquellen.

Frühlingsrollen

❶ Eine Füllung aus z.B. Tofu, Frühlingszwiebeln und Sojasprossen zubereiten.

❷ Die Füllung auf den Teig geben und diesen wie einen Briefumschlag zusammenklappen.

❸ Mit einem Kochlöffel prüfen, ob das Fett heiß ist. Wenn sich Bläschen bilden, kann's losgehen.

Spanische Gemüsetortilla

Gemüsetortilla wird in Spanien oft in Tapabars serviert: in Rauten geschnitten an Holzspießchen oder als größeres Stück in einem zusammengeklappten Brötchen.

Für 20–30 Stück

300 g Kartoffeln
1 rote Paprikaschote
1 Zwiebel
2 Knoblauchzehen
1 Tomate
1/2 Bund Petersilie
2 EL Olivenöl
100 g tiefgekühlte Erbsen
1 TL Thymian
8 Eier
100 ml Milch
Salz, Pfeffer
Muskat
1 Prise edelsüßes Paprikapulver
1 Prise Curry

**Zubereitungszeit 75 Minuten
Arbeitszeit 35 Minuten**

❶ Die Kartoffeln waschen, mit Schale weich kochen und schälen. In 1/2 Zentimeter dünne Scheiben schneiden.

❷ Paprikaschote waschen, halbieren, Trennwände und Kerne entfernen und in kleine Stückchen schneiden. Zwiebel und Knoblauchzehen abziehen. Zwiebel zerkleinern und Knoblauch zerdrücken. Tomate waschen und würfeln. Petersilie waschen, trockenschwenken, Blätter von den Stängeln zupfen und fein hacken.

Die farbenfrohe spanische Gemüsetortilla ist ein echt südländischer Klassiker. Beim Genießen dürfen Sie von Sonne, Meer und Wind träumen (Seite 89).

❸ Olivenöl in einer Pfanne erhitzen. Zwiebeln bei mittlerer Hitze anbraten, Paprika zugeben und weitere 3 Minuten braten. Kartoffelscheiben, Knoblauch, Erbsen, Petersilie und Thymian zufügen, salzen und unter Rühren erwärmen. Die Gemüsemischung in eine gefettete, rechteckige Auflaufform geben.

❹ Eier und Milch verquirlen und mit Salz, Pfeffer, Muskat, Paprika und Curry kräftig abschmecken. Eiermilch über die Gemüsemischung gießen. Die Form auf einem Gitter in den kalten Backofen schieben (mittlere Schiene) und die Tortillas bei 180 °C (Umluft 160 °C, Gas Stufe 3) 30–40 Minuten backen, bis die Masse gestockt ist. Herausnehmen und in Stückchen schneiden.

Spanische Tapasplatte

Servieren Sie Ihren Gästen doch mal eine spanische Tapasplatte mit folgenden Gerichten: Eingelegte Oliven (Seite 150), gebackene Paprikaschoten (Seite 17), Auberginentaler (Seite 22) auf Röstbrot und Gemüsetortillaspießchen lassen sich gut kombinieren. Reichen Sie frisch gebackene Brötchen und trockenen Sherry dazu.

Spinat-tortillas

Für 4 Stück

2 dünne Weizenfladen,
ca. 20 cm Durchmesser
150 g Blattspinat
(oder 125 g Tiefkühlblattspinat)
1 rote Chilischote
1 Tomate, 1 kleine Zwiebel
3 Pimentkörner
50 g Frischkäse
1 kleines Ei
1 TL Cumin
Salz
etwas Zitronensaft

🕐 **Zubereitungszeit
20 Minuten**

❶ Fladen mit etwas Wasser befeuchten. Blattspinat putzen, in reichlich Wasser waschen und tropfnass in einen Topf geben. Bei mittlerer Hitze zugedeckt zusammenfallen lassen. In ein Sieb gießen und die Flüssigkeit abtropfen lassen.

❷ Chilischote waschen, aufschneiden, Kerne entfernen und fein hacken. Tomate waschen und in kleine Stückchen schneiden.

❸ Zwiebel abziehen und würfeln. Pimentkörner in einem Mörser zerstoßen.

❹ Chilischote, Tomate und Zwiebel mit Frischkäse und Ei verrühren und mit Cumin, Piment, Salz und Zitronensaft abschmecken.

❺ Spinat grob hacken und die Fladen damit belegen. Die Frischkäse-Eimasse darauf verteilen und die Fladen auf ein Backblech legen. Das Backblech in den vorgeheizten Backofen schieben (mittlere Schiene) und die Tortillas etwa 5 Minuten bei 200 °C (Umluft 180 °C, Gas Stufe 4) backen, bis die Eimasse gestockt ist. Herausnehmen, jeden Fladen zusammenklappen und in der Mitte durchschneiden. Pergamentpapier um die Tortillas schlagen und zum Servieren in eine angewärmte Schüssel oder Form legen.

TIPP

Verwenden Sie als Tortilla die dünnen Weizenfladen aus türkischen Lebensmittelgeschäften, die es dort jeden Tag frisch zu kaufen gibt. Die folienverpackten Tortillas sind zwar länger haltbar, enthalten aber meist Konservierungsstoffe.

Tortillas mit Chili-con-Tofu-Füllung

Für 4 Stück

2 dünne orientalische Weizenfladen
50 g Tofu
50 g Zwiebeln
1 Knoblauchzehe
1 kleine rote Chilischote
1/4 rote Paprikaschote
1–2 EL Öl
1/2 EL Sojasauce
1 EL Tomatenmark
50 ml Gemüsebrühe
50 g rote Bohnen aus der Dose
1/2 TL Oregano, 1/4 TL Cumin
Salz
2 EL geriebener Käse

🕐 **Zubereitungszeit 30 Minuten**

❶ Fladen mit etwas Wasser befeuchten. Tofu zerkrümeln. Zwiebeln und Knoblauch abziehen und fein hacken. Paprikaschoten in kleine Stücke schneiden. Chilischote waschen, längs aufschlitzen, entkernen und ebenfalls in kleine Stücke schneiden.

❷ Öl in einer Pfanne erhitzen und Tofu bei mittlerer Hitze unter ständigem Rühren hellbraun braten. Falls er ansetzt, mit etwas Wasser besprenkeln. Zwiebeln, Knoblauch und Chili zugeben und weiterbraten, bis die Zwiebeln glasig sind. Mit Sojasauce ablöschen.

❸ Tomatenmark, Gemüsebrühe, Bohnen, Oregano und Cumin zugeben und aufkochen lassen. Von der Kochstelle nehmen, mit Salz abschmecken und die Paprikastückchen unterrühren.

❹ Fladen mit der Masse bestreichen, Käse darüber streuen und auf ein Backblech legen. Das Backblech in den vorgeheizten Backofen schieben (mittlere Schiene) und die Tortillas etwa 7 Minuten bei 200 °C (Umluft 180 °C, Gas Stufe 4) backen, bis der Käse goldgelb wird.

❺ Jeden Fladen zusammenklappen und in der Mitte durchschneiden. In Pergamentpapier einschlagen und in einer angewärmten Schüssel oder Form servieren.

Sojasauce ist eines der bekanntesten Würzmittel in asiatischen Küchen und harmoniert auch gut mit dem mexikanisch gewürzten Chili. Sie wird aus fermentierten Sojabohnen, Salz, Weizen und Wasser hergestellt.

Gemüse-Pakoras mit Minzjoghurt

Für etwa 25 Stück

Pakoras sind typisches Alltagsfingerfood in Indien. An kleinen mobilen Imbissständen werden sie an der Straße in einer wokähnlichen Pfanne gebacken und auf einem Bananenblatt für wenige Rupien angeboten.

Saft von 1 Zitrone
1 Kartoffel, fest kochend
1/4 Kopf Blumenkohl
1 Zucchino
1 Banane
1 Zwiebel
2 Knoblauchzehen
250 g Kichererbsenmehl
2 TL Cumin, gemahlen
1 TL Cumin, ganz
2 TL Koriander
1 TL Ingwer
1 TL Salz
1/2 TL Pfeffer
Öl zum Frittieren

🕐 **Zubereitungszeit 40 Minuten**

❶ Zitrone auspressen. Kartoffel waschen, schälen und in 1 Zentimeter dicke Scheiben schneiden. Blumenkohl in kleine Röschen schneiden und waschen. Zucchino waschen und putzen und mit der Banane in 1 1/2 Zentimeter dicke Scheiben schneiden. Banane mit der Hälfte des Zitronensafts beträufeln. Zwiebel abziehen und in 1/2 Zentimeter dicke Scheiben schneiden.

Das erfrischende Minzjoghurt ergänzt sich perfekt mit den knusprigen Gemüse-Pakoras. Servieren Sie sie am besten ohne Teller und Besteck. Ein kleiner Holzspieß genügt (Seite 93).

❷ Kartoffel und Blumenkohl in wenig Wasser etwa 6 Minuten bissfest dünsten, kurz vor Ende der Kochzeit Zucchinischeiben zufügen und mitgaren. Gemüse in einem Sieb abtropfen lassen.

❸ Knoblauch abziehen und zerdrücken. Kichererbsenmehl in eine Schüssel sieben, Cumin ganz und gemahlen, Koriander, Ingwer, den Rest des Zitronensafts, Knoblauch, Salz, Pfeffer und 325 Milliliter Wasser dazugeben und mit einem Handrührgerät glatt rühren.

❹ Einen kleinen, hohen Topf drei Finger hoch mit Öl füllen und erhitzen. Gemüse und Bananenstückchen nacheinander durch den Ausbackteig ziehen, etwas abtropfen lassen und portionsweise goldbraun frittieren. Die Gemüse-Pakoras auf Küchenpapier abtropfen lassen und sofort servieren.

Minzjoghurt

1 großes Bund Minze
300 g Joghurt
1/2 TL Cumin
1 Messerspitze Cayennepfeffer
Salz

Minze waschen, trockenschwenken, klein hacken und in eine Schüssel geben. Joghurt, Cumin und Cayennepfeffer zugeben und alles verrühren. Mit Salz abschmecken. Im Kühlschrank 1 Stunde durchziehen lassen und zu den frisch frittierten Pakoras servieren.

Herzhafte Minipizzen

Wenn es einmal
schnell gehen soll,
fertige Pizzateiglinge
aus dem Naturkost-
geschäft oder Super-
markt verwenden,
mit der Tomaten-
sauce bestreichen
und nach Wunsch
belegen und mit
Käse und Oregano
bestreuen.

Grundrezept Pizzateig

Für 30 Stück

500 g Mehl, Type 550 oder 1050
1 Päckchen Trockenhefe
5 EL Olivenöl
1 TL Salz
1 Prise Cayennepfeffer

🕐 **Zubereitungszeit 60 Minuten ohne Beleg- und Backzeit**

❶ Mehl, Trockenhefe, Öl, Salz und
Cayennepfeffer in einer Schüssel
mischen. Etwa 200 Milliliter lauwarmes Wasser nach und nach zugeben und die Zutaten zu einem glatten, geschmeidigen Teig kneten.
Eventuell noch tropfenweise
Wasser hineinkneten. Mit einem
Tuch bedecken und den Teig ungefähr 45 Minuten an einem
warmen Ort gehen lassen, bis sich
das Teigvolumen verdoppelt hat.

❷ Teig 3–4 Millimeter dünn aus-
rollen und Kreise mit 6 Zentimeter
Durchmesser ausstechen. Die Teig-
reste entfernen und die runden
Teiglinge nach den folgenden
Rezepten belegen.

Grundrezept Tomatensauce

Für 30 Stück

400 g passierte Tomaten (Tetrapack)
1 TL Kräuter der Provence
Salz
Pfeffer

Passierte Tomaten mit Kräutern
der Provence verrühren und die
Sauce mit Salz und Pfeffer
abschmecken.

Minipizzen mit Zwiebeln und Ziegenkäse

Für 10 Stück

10 Teiglinge
5 EL Tomatensauce
75 g Zwiebeln
5 Wacholderbeeren
75 g Ziegenkäserolle
75 g Crème fraîche
frisch gemahlener Pfeffer

🕐 **Zubereitungszeit 20 Minuten
Arbeitszeit 5 Minuten**

❶ Teiglinge (siehe Grundrezept linke Seite) auf ein mit Backpapier ausgelegtes Backblech legen und mit der Tomatensauce bestreichen.

❷ Zwiebeln abziehen und würfeln. Wacholderbeeren mit einem Messergriff zerdrücken. Pizzen mit beiden Zutaten belegen. Ziegenkäserolle zerkrümeln, mit Crème fraîche vermischen und auf die Teiglinge geben. Mit Pfeffer nach Belieben würzen.

❸ Das Backblech in den kalten Backofen schieben (mittlere Schiene) und die Pizzen in 10–15 Minuten bei 220 °C (Umluft 200 °C, Gas Stufe 5) goldbraun backen.

Minipizzen mit Aubergine und Harissa

Für 10 Stück

20 Blätter Minze
50 g Zwiebel
1 EL Harissa
1 EL Tomatenmark
1 EL Olivenöl
Salz
10 Teiglinge
1 kleine Aubergine
50 g Schafskäse
50 g Crème fraîche

🕐 **Zubereitungszeit 25 Minuten
Arbeitszeit 10 Minuten**

❶ Minze waschen und hacken. Zwiebel abziehen und würfeln. Beide Zutaten mit Harissa, Tomatenmark und Öl verrühren. Mit Salz abschmecken. Teiglinge auf ein mit Backpapier ausgelegtes Backblech legen. Mit der Sauce bestreichen.

❷ Aubergine in 10 Scheiben, 3 Millimeter dünn, schneiden. Auf die Teiglinge legen. Käse zerdrücken, mit Crème fraîche verrühren. Auf den Auberginen verteilen.

❸ Die Pizzen 10–15 Minuten bei 220 °C (Umluft 200 °C, Gas Stufe 5) goldbraun backen.

Harissa, eine scharfe orientalische Paprikapaste, gibt es bei Olivenständen auf dem Wochenmarkt oder in türkischen Lebensmittelgeschäften.

Minipizzen mit Tomaten

Für 10 Stück

150 g Tomaten
2 Knoblauchzehen
10 Blätter Basilikum
1 TL Tomatenmark
1 EL Olivenöl
Salz
Pfeffer
10 Teiglinge

 **Zubereitungszeit 25 Minuten Arbeitszeit 10 Minuten**

❶ Die Tomaten waschen, mit kochendem Wasser überbrühen, einige Minuten darin ziehen lassen, die Haut mit einem kleinen Messer abziehen und das Fruchtfleisch fein würfeln.

❷ Knoblauchzehen abziehen und durch eine Presse drücken. Basilikum waschen, trockenschwenken und grob hacken. Knoblauch und Basilikum mit Tomatenmark und Öl mischen. Mit Salz und Pfeffer abschmecken. Teiglinge auf ein Backblech mit Backpapier legen und die Tomatenmasse darauf verteilen.

❸ Das Backblech in den kalten Backofen schieben (mittlere Schiene) und die scharfen Minipizzen in 10–15 Minuten bei 220 °C (Umluft 200 °C, Gas Stufe 5) goldbraun backen.

Gefüllte Minipizzen

Für 10 Stück

1 Zwiebel
1 Knoblauchzehe
2 Stängel Petersilie
1 Zweig Rosmarin
50 g Schafskäse
50 g Quark
3 TL Oregano, Pfeffer
20 Teiglinge
5 EL Tomatensauce
2 EL Olivenöl, 1 EL Sesamsaat

 **Zubereitungszeit 25 Minuten Arbeitszeit 10 Minuten**

❶ Zwiebel und Knoblauch abziehen, würfeln. Petersilie und die Hälfte der Rosmarinnadeln hacken. Käse zerdrücken, mit Zwiebel, Knoblauch, Kräutern, Quark und 1 Teelöffel Oregano verrühren. Pfeffern.

❷ 10 Teiglinge auf ein Backblech mit Backpapier geben, mit Tomatensauce und Käse belegen. Mit einer Gabel die restlichen Teiglinge einstechen. Auf die belegten Pizzen legen. Ränder festdrücken, mit Öl bestreichen, mit Sesam, Rosmarin und Oregano bestreuen.

❸ Das Backblech in den kalten Backofen schieben (mittlere Schiene) und die Pizzen etwa 15 Minuten bei 220 °C (Umluft 200 °C, Gas Stufe 5) backen.

Die Pizzen können vor dem Backen fertig belegt und bis zu einer Stunde im Kühlen aufbewahrt werden. Die Bleche erst in den Backofen schieben wenn die Gäste da sind, denn frisch gebacken schmecken die Pizzen am besten.

Ob saftig belegt oder herzhaft gefüllt – probieren Sie am besten beide Pizzen. Frische Kräuter geben ihnen ein phantastisches Aroma (Seite 97).

Thailändische Reispfannkuchen

Für 8 Stück

Reispfannkuchen:

50 g feste Kokosnusspaste

130 g Reismehl

50 g Mehl

2 TL Pfeilwurzelmehl oder Maisstärke

Salz

1/2 TL Zucker

2 TL Limonensaft

Spinat-Limonen-Füllung:

Schale und Saft

1 unbehandelten Limone

1 rote Chilischote

1 walnussgroßes Stück frischer Ingwer

250 g Blattspinat

3 EL Öl

1 Prise Macis

Salz

🕐 **Zubereitungszeit 50 Minuten**

❶ Die Kokosmilch für den Teig herstellen. Dafür die Kokosnusspaste in 300 Milliliter kochendem Wasser auflösen, umrühren und etwas abkühlen lassen.

Pfeilwurzelmehl wird aus den Wurzeln und Knollen tropischer Stauden wie z. B. Maranta oder Kurkuma hergestellt und wird als Bindemittel eingesetzt.

❷ Limone heiß abwaschen, Schale abreiben und Saft auspressen. Chilischote waschen, aufschneiden, Kerne entfernen und fein hacken. Ingwer schälen und reiben.

❸ Blattspinat putzen und in reichlich Wasser waschen. Tropfnass in einen Topf geben und bei mittlerer Hitze zugedeckt zusammenfallen lassen. In ein Sieb gießen und abtropfen lassen.

❹ Für den Pfannkuchenteig Kokosmilch, Reismehl, Mehl, Pfeilwurzelmehl, 1/2 Teelöffel Salz, Zucker und 2 TL Limonensaft in eine Schüssel geben und verquirlen. Quellen lassen, bis die Füllung fertig ist.

❺ Für die Füllung die verbliebene Flüssigkeit aus dem Spinat herausdrücken und die Blätter grob hacken. 1/2 Esslöffel Öl erhitzen und Chilischote und Ingwer bei mittlerer Hitze kurz anbraten.

❻ Spinat zugeben und erwärmen. Macis und Limonenschale zugeben und mit Salz und Limonensaft abschmecken.

❼ Eine beschichtete Pfanne mit Öl ausstreichen und erhitzen. Etwas Teig in die Pfanne geben und den

Teig durch Drehen bis zu den Rändern verteilen. Bei mittlerer Hitze etwa 2 Minuten backen, bis die Oberfläche fest wird. Den Pfannkuchen wenden und die Unterseite kurz backen. Auf einen Teller gleiten lassen.

❽ Nacheinander weitere sieben dünne Pfannkuchen auf die gleiche Weise ausbacken.

❾ 1 Esslöffel Füllung in die Mitte jedes Pfannkuchens geben, die Seiten darüber klappen und von unten her aufrollen.

Reispfannkuchen mit Möhren-Kokos-Füllung

Für 8 Stück

1 Rezept Reispfannkuchen (Seite 98)
40 g Möhren
3 EL Cashewnüsse
2 Stängel frischer Dill
1 EL Butterschmalz
20 g Kokosraspeln
1 EL Rosinen
2 EL Orangensaft
1 TL Akazienhonig
Salz

🕐 **Zubereitungszeit 15 Minuten**

❶ Für die Füllung Möhren waschen, schälen und raspeln. Cashewnüsse hacken. Dillgrün waschen, trockenschwenken, von den Stängeln zupfen und fein hacken.

❷ Butterschmalz erhitzen. Möhren und Kokosraspeln bei mittlerer Hitze 2 Minuten anbraten. Rosinen und Nüsse zugeben, 1 Minute weiterbraten und mit Orangensaft ablöschen. Mit Honig, Dill und Salz abschmecken.

❸ Die Pfannkuchen wie auf Seite 98 beschrieben zubereiten.

❹ Je 1 Esslöffel Füllung in die Mitte der Pfannkuchen geben, die Seiten darüber klappen und von unten her dicht aufrollen.

TIPP

Die Reispfannkuchenröllchen in Pergamentpapier legen und zum Warmhalten auf einen Rechaud legen.

Sattes Vergnügen

Gemüseburger

Für 15 Stück

Tomatenketchup:

300 g sonnenreife Tomaten

50 g Zwiebel, 2 EL Öl

1 gehäufter EL brauner Zucker

1 EL Tomatenmark

1 EL Cassislikör

Aceto balsamico, Salz, Tabasco

Bratlinge:

1/4 l Gemüsebrühe

2 Lorbeerblätter

125 g geschroteter Grünkern

50 g Möhren

25 g Knollensellerie

je 50 g Lauch und Zwiebel

1 Knoblauchzehe

5 EL Öl

1 TL Senf, 1 TL Madrascurry

1 EL Sojasauce

je 1/4 TL Oregano und Majoran

edelsüßes Paprikapulver

1 Ei, Salz, Pfeffer, Muskat

50–100 g Mehl

Burger:

1/2 Kopfsalat, 1 Minigurke

15 kleine Brötchen (Seite 124)

🕐 **Zubereitungszeit 70 Minuten**

❶ Tomaten mit kochendem Wasser überbrühen, häuten und würfeln. Zwiebel abziehen, fein hacken, bei schwacher Hitze in Öl glasig dünsten. Restliche Zutaten zugeben. Alles einkochen lassen, pürieren und abschmecken.

❷ Brühe und Lorbeerblätter aufkochen, Grünkernschrot unter Rühren einstreuen und alles 5 Minuten bei schwacher Hitze garen. Von der Kochstelle nehmen und zugedeckt 30 Minuten ausquellen lassen.

❸ Möhre und Sellerie waschen, schälen, raspeln. Lauch putzen, waschen und in Ringe schneiden. Zwiebel und Knoblauchzehe abziehen und fein hacken.

❹ Zwiebel in 1 Esslöffel Öl glasig dünsten. Gemüse und Knoblauch zugeben und bei mittlerer Hitze braten. Von der Kochstelle nehmen. Mit Gewürzen und Ei zur gequollenen Getreidemasse geben. Mehl zugeben, bis die Masse formbar wird. Mit Salz, Pfeffer und Muskat abschmecken. Mit feuchten Händen 15 flache Bratlinge formen.

❺ Bratlinge anbraten, bei schwacher Hitze durchbraten. Auf Küchenpapier abtropfen lassen. Abgedeckt im 80 °C heißen Backofen warm halten.

❻ Den Kopfsalat waschen und in kleine Blättchen zupfen. Gurke waschen und hobeln. Die Brötchen halbieren. Je 2 Salatblätter, 1 Bratling, Gurkenscheiben und 1 Teelöffel Ketchup in ein Brötchen geben und zuklappen.

TIPP

Die Massen für die Bratlinge vor dem Braten immer kräftig abschmecken, damit sie hinterher nicht zu fade schmecken.

Tofu-Nussburger

Für 10 Stück

Avocadopüree:

Fruchtfleisch von 1 Avocado
Zitronensaft
1 kleine Zwiebel
2 EL gehackte Petersilie
Kräutersalz, Cayennepfeffer

Bratlinge:

100 g Naturreis, Salz
1 Lorbeerblatt
125 g Zwiebeln
6 EL Öl
125 g Tofu
2 EL gehackte Petersilie
1 kleines Ei
75 g gemahlene Haselnüsse
1 EL frisch geriebener Parmesan
1 TL Oregano
1/4 TL Cumin
1 Prise Cayennepfeffer
50–100 g Mehl
Kräutersalz

Burger:

einige Blätter Salat
2–3 Tomaten, Salz
10 kleine Brötchen (Seite 124)

 Zubereitungszeit 65 Minuten

❶ Avocado mit Zitronensaft pürieren. Zwiebel abziehen, zerkleinern, mit der Petersilie zum Püree geben und abschmecken.

❷ Reis waschen, mit 200 Milliliter Wasser, Salz und Lorbeerblatt aufkochen und zugedeckt bei schwacher Hitze 30–40 Minuten garen.

❸ Zwiebeln abziehen, würfeln und in Öl bei schwacher Hitze glasig dünsten. Von der Kochstelle nehmen. Tofu fein zerkrümeln, mit Zwiebeln und Petersilie unter den Reis mischen.

❹ Ei, Haselnüsse, Parmesan, Oregano, Cumin und Cayennepfeffer zugeben. Mehl zufügen, bis die Masse bindet. Mit Salz abschmecken. Mit feuchten Händen 10 flache Bratlinge formen.

❺ Die Bratlinge bei mittlerer Hitze von beiden Seiten im Öl anbraten, bei schwacher Hitze in etwa 5 Minuten goldgelb durchbraten. Auf Küchenpapier abtropfen lassen. Abgedeckt im 80 °C heißen Backofen warm halten.

❻ Salatblätter waschen, trockenschwenken und in kleine Stückchen zupfen. Tomaten waschen, in dünne Scheiben schneiden und salzen. Brötchen in der Mitte durchschneiden und aufklappen. Nacheinander zwei Salatblätter, einen Bratling, 1 Teelöffel Avocadopüree und eine Tomatenscheibe in das Brötchen legen und zuklappen.

Buchweizenburger

Für 12 Stück

Schnittlauchdip:

2 EL Schnittlauchröllchen	
75 g Schmand	
2 TL Walnussöl	
Senf, Kräutersalz, Pfeffer	

Bratlinge:

200 g Buchweizen	
100 g Möhren	
50 g Lauch	
25 g Zwiebel	
5 EL Öl	
1 Ei	
50–100 g Mehl	
Kräutersalz, Pfeffer	

Burger:

1/2 Kopfsalat	
3 Tomaten	
1 Minigurke	
Salz	
1 Möhre	
12 kleine Brötchen (Seite 124)	

🕐 **Zubereitungszeit 40 Minuten**

❶ Schnittlauch mit Schmand und Walnussöl verrühren. Mit Senf, Salz und Pfeffer abschmecken.

❷ Den Buchweizen in eine hitzebeständige Schüssel geben. Mit 1/4 Liter kochendem Wasser übergießen und 10 Minuten ausquellen lassen. In ein Sieb gießen und gut abtropfen lassen.

❸ Möhren waschen, schälen und raspeln. Lauch putzen, waschen und in feine Ringe schneiden. Zwiebel abziehen und fein hacken.

❹ Zwiebel bei schwacher Hitze in 2 Esslöffel Öl glasig dünsten. Möhren und Lauch zugeben. 3 Minuten unter Rühren anbraten. Gemüse von der Kochstelle nehmen. Mit dem Ei zum Buchweizen geben und vermischen. Mehl zufügen, bis die Masse bindet. Mit Salz und Pfeffer abschmecken. Mit feuchten Händen 12 flache Bratlinge formen.

❺ Bratlinge von beiden Seiten bei mittlerer Hitze im restlichen Öl anbraten, bei schwacher Hitze in etwa 5 Minuten durchbraten. Auf Küchenpapier abtropfen lassen. Abgedeckt im 80 °C heißen Backofen warm halten.

❻ Salatblätter waschen, trockenschwenken und in kleine Stücke teilen. Tomaten und Gurke waschen, in dünne Scheiben schneiden und salzen. Möhre waschen, schälen und raspeln. Die Brötchen durchschneiden und aufklappen.

❼ In jedes Brötchen zwei Salatblätter, einen Bratling, 1 Teelöffel Schnittlauchdip, eine Tomaten- und eine Gurkenscheibe und Möhrenraspeln legen und zusammenklappen.

Die Bratlingsmassen können am Vortag der Party schon hergestellt werden, allerdings ohne der Masse schon Ei und Mehl zuzufügen. Erst kurz vor dem Braten mit Ei und Mehl binden, nochmals abschmecken und eventuell einen Testbratling backen.

Grüner Kuchen

Grüner Kuchen ist ein Gericht aus Hessen, das mit panierten Speckstückchen gebacken und lauwarm mit Kaffee serviert wird. Für die vegetarische Variante wird Haselnusstofu verwendet.

Für 50–60 Stück

8 altbackene Weißmehlbrötchen	
750 ml Milch	
1 Päckchen Vollkornbrotbackmischung mit Sauerteig (750 g)	
120 g Butter	
1,5 kg Frühlingszwiebeln	
200 g Haselnusstofu	
2 EL Sojasauce	
8 Eier	
Salz, Pfeffer	
Muskat	
6 EL Semmelbrösel	

🕐 **Zubereitungszeit 85 Minuten**
Arbeitszeit 35 Minuten

❶ Die Weißmehlbrötchen in Stücke schneiden. Einige Stunden in Milch einweichen, bis sie vollständig aufgesogen ist.

❷ Backmischung nach Anweisung zubereiten, im letzten Knetgang 60 Gramm Butter einarbeiten. Backblech mit Backpapier auslegen.

❸ Den Teig darauf ausrollen. Einige Male mit einer Gabel einstechen, damit der Teig beim Backen keine Blasen wirft.

❹ Das Grün der Frühlingszwiebeln abtrennen, waschen, putzen und in Ringe schneiden. Haselnusstofu würfeln und mit Sojasauce vermischen.

❺ Die eingeweichten Brötchen portionsweise in einem Mixer pürieren. Mit Zwiebelgrün und Eiern in eine Schüssel geben und vermengen. Mit Salz, Pfeffer und Muskat kräftig abschmecken.

❻ Die Masse auf dem Brotteig verstreichen. Restliche Butter in Flöckchen schneiden, mit Tofu und Semmelbröseln darauf verteilen. Das Backblech in den kalten Backofen schieben (mittlere Schiene) und den Kuchen etwa 40 Minuten bei 200 °C (Umluft 180 °C, Gas Stufe 4) backen.

❼ Den grünen Kuchen aus dem Ofen nehmen. In kleine Stücke von etwa 5 x 8 Zentimeter schneiden warm servieren.

Kräuter-Käse-Torteletts

Für 14 Stück

250 g Mehl

125 g kalte Butter

1 EL Quark

1/2 TL Koriander

1/2 TL Salz

1/4 TL Pfeffer

je 1 Bund Petersilie,
Schnittlauch und Dill

150 g Gruyère

4 Eier

200 g Sahne

Muskat

edelsüßes Paprikapulver

🕐 **Zubereitungszeit 70 Minuten
Arbeitszeit 20 Minuten**

❶ Mehl in eine Schüssel sieben. Butterstückchen, Quark, 1–2 Esslöffel Wasser, Koriander, Salz und Pfeffer zugeben. Mit den Knethaken des Handrührgeräts zu einem glatten Teig kneten. Abgedeckt 30 Minuten im Kühlschrank ruhen lassen.

❷ Kräuter waschen, trockenschwenken, Petersilienblätter von den Stängeln zupfen. Die Kräuter fein hacken. Ein Viertel der Kräuter beiseite legen. Gruyère reiben. Eier verschlagen. Sahne, Käse und Kräuter unter die Eier mischen. Die Masse mit Salz, Pfeffer, Muskat und Paprika pikant abschmecken.

❸ Die Tortelettförmchen (8 Zentimeter Durchmesser) mit Fett auspinseln. Backofen auf 200 °C (Umluft 180 °C, Gas Stufe 4) vorheizen. Den Teig ausrollen. Die Förmchen umgedreht darauf drücken, den Teig ausstechen und die Förmchen damit auslegen. Die Kräutermasse einfüllen.

❹ Die Förmchen auf einem Gitter in den heißen Backofen schieben (mittlere Schiene) und die Torteletts in 20–25 Minuten goldgelb backen.

❺ Abkühlen lassen und aus den Formen lösen. Mit den restlichen Kräutern bestreuen. Lauwarm servieren.

Gruyère ist ein echter Schweizer Käse und erinnert an Appenzeller. Beide Sorten sind sehr intensiv im Aroma und geben den Gerichten einen besonders kräftigen Geschmack.

Erbsenpastetchen mit Apfel-Kumquat-Chutney

Yufkateig ist ein Strudel-teig, der in türkischen Lebensmittelgeschäften folienverpackt in verschiedenen Formen angeboten wird. Daraus lassen sich kleine und feine Pastetchen zaubern. Gut macht sich auch die Kräuterschafskäse-füllung von Seite 17 in den Teilchen.

Für etwa 20 Stück

Pastetchen:

300 g Yufkateig

50 g Butter

100 ml Milch

1 Rezept Erbsenfüllung
(Seite 27)

🕐 **Zubereitungszeit 60 Minuten**

❶ Yufkateig aus der Packung nehmen und aufklappen, mit etwas Wasser besprenkeln und 20 Minuten abgedeckt ruhen lassen.

❷ Die einzelnen Teigplatten durch alle Schichten hindurch zu Streifen, etwa 7 x 22 Zentimeter groß, schneiden. Butter und Milch zusammen in einer Pfanne schmelzen. Jeweils einen doppelt gelegten Streifen durch die Butter-Milchmischung ziehen und senkrecht auf ein Arbeitsbrett legen.

Ideenreich verhüllt – Erbsen einmal ganz anders. Das süß-saure Apfel-Kumquat-Chutney rundet die Pastetchen auf interessante Weise ab (Seite 107).

❸ 1 Teelöffel Füllung auf das untere Ende des Doppelstreifens setzen. Eine der unteren Ecken bis zur Seitenkante klappen. Es entsteht ein kleines Dreieck, das die Füllung umschließt. Das Dreieck weiter hochklappen, bis der ganze Streifen zu einem mehrschichtigen Dreieck gewickelt ist. Mit den weiteren Teigstreifen ebenso verfahren.

❹ Ein Backblech mit Backpapier auslegen. Die Dreiecke darauf setzen. Mit der restlichen Butter-Milch-Mischung bepinseln. Das Backblech in den kalten Backofen schieben (mittlere Schiene) und den Teig in 20 Minuten bei 200 °C (Umluft 180 °C, Gas Stufe 4) hellbraun backen. Warm oder kalt servieren.

Apfel-Kumquat-Chutney

350 g säuerliche Äpfel

200 g Kumquats

2 TL Butterschmalz

1 TL schwarze Senfsaat

100 ml Orangensaft, frisch gepresst

100 g Zucker

1 TL Cumin

1 getrocknete rote Chilischote

❶ Äpfel waschen, schälen, Fruchtfleisch vierteln und das Gehäuse entfernen. Die Apfelviertel würfeln. Kumquats heiß waschen und in kleine Stückchen schneiden.

❷ Butterschmalz erhitzen und Senfsaat hineingeben. Bei mittlerer Hitze poppen lassen. Beide Obstsorten sowie Orangensaft, Zucker und Cumin zufügen. Chili zerbröseln, in den Topf geben und die Mischung aufkochen. Bei schwacher Hitze unter gelegentlichem Rühren etwa 15 Minuten kochen. Chutney abschmecken und auskühlen lassen.

Zwiebelküchlein

Für 12 Stück

750 g Gemüsezwiebeln
250 g Äpfel
Saft 1/2 Zitrone
1 Zweig frischer Rosmarin
2 EL Butter
450 g Tiefkühlblätterteig
4 Eier
200 g Crème fraîche
1 TL Senf
1 TL Tomatenmark
Salz, Pfeffer
Muskat

🕐 **Zubereitungszeit 40 Minuten
Arbeitszeit 20 Minuten**

Bestimmte Gemüsesorten wie Zwiebeln, Knoblauch, Rettich und Meerrettich haben große gesundheitliche Wirkung, weil sie infektionshemmende Substanzen enthalten. Rettich z.B. zeigt außerdem antibiotische Wirkung.

❶ Zwiebeln abziehen und klein würfeln. Äpfel waschen, vierteln, die Gehäuse entfernen und die Viertel in kleine Stückchen schneiden. Mit Zitronensaft beträufeln. Rosmarin waschen, trockenschwenken und die Nadeln von den Stängeln streifen.

❷ Butter erhitzen und Zwiebeln glasig dünsten. Von der Kochstelle nehmen. Äpfel und Rosmarin untermischen. Blätterteigblätter auseinander legen und auftauen lassen.

Eier, Crème fraîche, Senf und Tomatenmark verquirlen und kräftig abschmecken.

❸ 12 Tortelettförmchen (10 Zentimeter Durchmesser) einfetten und dicht aneinander auf ein Backblech stellen. Die aufgetauten Blätterteigstücke aufeinander legen. Zu einem Rechteck ausrollen, das etwas größer als die zusammengestellten

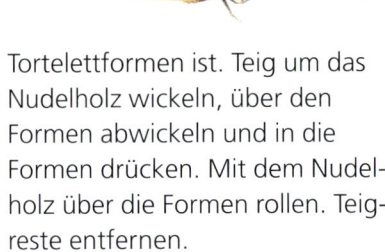

Tortelettformen ist. Teig um das Nudelholz wickeln, über den Formen abwickeln und in die Formen drücken. Mit dem Nudelholz über die Formen rollen. Teigreste entfernen.

❹ Zwiebel-Apfel-Masse in die Formen verteilen. Crème-fraîche-Eier-Mischung darüber gießen. Das Blech in den kalten Backofen schieben (mittlere Schiene) und die Torteletts etwa 20 Minuten bei 200 °C (Umluft 180 °C, Gas Stufe 4) backen.

Topinamburpastetchen

Für 16 Stück

400 g Topinambur	
150 g Mehl	
100 g Haselnüsse	
125 g kalte Butter	
1 EL Quark	
Salz, Pfeffer	
2 Stängel Petersilie	
5 Cocktailtomaten	
50 g Sahne	
2 kleine Eier	
150 g Crème fraîche	

🕐 **Zubereitungszeit
70 Minuten**

❶ Topinambur in der Schale etwa 15 Minuten weich kochen.

❷ Mehl in eine Schüssel sieben. Haselnüsse fein mahlen und mit dem Mehl mischen. Butter in kleine Stückchen schneiden und Quark, 1/2 Teelöffel Salz und 1 Prise Pfeffer unterziehen. Unter der Zugabe von 2–3 Esslöffeln kaltem Wasser mit den Knethaken des Handrührers

zu einen glatten Teig kneten. Zugedeckt 30 Minuten im Kühlschrank ruhen lassen.

❸ Petersilie waschen, trockenschwenken, Blätter von den Stängeln zupfen und fein hacken. Tomaten waschen und in Scheiben schneiden. Topinambur schälen und mit der Sahne pürieren. Mit Eiern, Crème fraîche und Petersilie in eine Schüssel geben und alles vermischen. Die Masse kräftig abschmecken.

❹ Teigformen (6 Zentimeter Durchmesser) einfetten. Teig ausrollen und mit den umgedrehten Förmchen ausstechen. Den Teig in die Förmchen drücken.

❺ 1 Esslöffel Masse in eine Form geben, eine Tomatenscheibe darauf legen. Formen auf ein Gitter setzen und in den kalten Backofen schieben (mittlere Schiene). Pasteten bei 200 °C (Umluft 180 °C, Gas Stufe 4) ca. 20 Minuten backen. Etwas auskühlen lassen und aus den Formen lösen.

Topinambur kommt wie die Kartoffel ursprünglich aus Amerika, ist aber ein Verwandter der Sonnenblume und erinnert im Geschmack an Artischocken. Die manchmal stark verzweigte Knolle ist reich an Vitaminen und Mineralien.

Sprossen-Quark-Quiches

Für 16 Stück

Sprossen sind reich an Eiweiß und Mineralstoffen und sind vor allem im Winter gute Vitaminlieferanten: Sie gedeihen in wenigen Tagen auf dem Fensterbrett in Keimschalen oder in Weckgläsern.

125 g kalte Butter
220 g Vollkorndinkelmehl, fein gemahlen
1 EL Quark
1 TL Koriander
Salz, Pfeffer
1 kleine Zwiebel
5 Cocktailtomaten, ersatzweise 2 Tomaten
2 Stängel Petersilie
1/2 Bund Schnittlauch
1 Hand voll gemischte Sprossen, z. B. Mungsprossen und Alfalfa
3 Eier
200 g Quark
150 g Crème fraîche
Kräutersalz
geriebene Muskatnuss

🕐 **Zubereitungszeit 70 Minuten**
Arbeitszeit 20 Minuten

❶ Für den Teig die Butter in kleine Würfel schneiden und mit Vollkorndinkelmehl, Quark, Koriander, 1/2 Teelöffel Salz und 1/4 Teelöffel Pfeffer in eine Rührschüssel geben. Mit den Knethaken des Handrührgeräts zu einem geschmeidigen Teig kneten und dabei, falls er zu trocken ist, 2–3 Esslöffel kaltes Wasser zufügen. Den Teig abgedeckt 30 Minuten im Kühlschrank ruhen lassen.

❷ Für die Füllung die Zwiebel abziehen und zerkleinern. Die Tomaten waschen und in Scheiben schneiden. Die Kräuter waschen und trockenschwenken. Petersilienblätter von den Stängeln zupfen und fein hacken. Schnittlauch in Röllchen schneiden. Sprossen, wenn nötig, verlesen und in einem Sieb durchspülen und abtropfen lassen.

❸ Die Eier in eine Schüssel geben und verschlagen. Quark, Crème fraîche, Zwiebelwürfel, gehackte Kräuter und Sprossen dazugeben und vermischen. Die Eier-Quark-Masse mit Kräutersalz, Pfeffer und Muskat kräftig abschmecken.

❹ Kleine Teigförmchen von etwa 6 Zentimeter Durchmesser mit Fett auspinseln. Den Teig ausrollen und mit den umgedrehten Teigförmchen ausstechen. Die Teigförmchen mit dem Teig auskleiden, jeweils 1 Esslöffel Eier-Quark-Masse hineinfüllen und eine Tomatenscheibe darauf legen.

❺ Die Quiches in den kalten Backofen schieben (mittlere Schiene) und bei 200 °C (Umluft 180 °C, Gas Stufe 4) in 20–25 Minuten goldbraun backen. Herausnehmen und etwas auskühlen lassen. Mit einem kleinen Messer aus den Förmchen lösen. Die Miniquiches schmecken warm und kalt.

Das Vollkorndinkelmehl gibt den Quiches ein herzhaft nussiges Aroma. Reichen Sie zu den Sprossen-Quark-Quiches einfach eine Serviette und beißen genüsslich ab (Seite 111).

Pikante Nussecken mit Kräutern und Oliven

Für 1/2 Backblech, etwa 24 Stück

250 g Butter
400 g Mehl
2 EL Magerquark
1 TL Koriander
Salz, Pfeffer
100 g schwarze Oliven
60 g Kapern
250 g Zwiebeln
1 Knoblauchzehe
250 g Haselnüsse
250 ml Milch
2 EL Parmesan
1 TL Kräuter der Provence
1 Ei
2 EL gehackte Petersilie
Tabasco
1 Glas grüne Oliven mit Paprikafüllung
Hülsenfrüchte

🕐 **Zubereitungszeit 80 Minuten
Arbeitszeit 35 Minuten**

❶ 200 Gramm Butter würfeln. Mehl in eine Schüssel sieben. Butter, Magerquark, 3–4 Esslöffel kaltes Wasser, Koriander, 1 Teelöffel Salz und Pfeffer zugeben. Mit den

Knethaken des Handrührers zu einem glatten Teig kneten und abgedeckt 30 Minuten im Kühlschrank ruhen lassen.

❷ Oliven entkernen, Kapern abtropfen lassen, Zwiebeln und Knoblauch abziehen. Diese Zutaten zerkleinern. Haselnüsse fein mahlen.

❸ Die restliche Butter erhitzen und die Zwiebeln darin glasig dünsten. Knob-lauch, Oliven, Kapern, Nüsse, Milch, Parmesan und Kräuter der Provence zugeben und aufkochen. 5 Minuten bei schwacher Hitze unter Rühren garen. Ei und Peter-silie zufügen. Kräftig abschmecken.

❹ Den Backofen auf 180 °C (Um-luft 160 °C, Gas Stufe 3) vorheizen. Teig in der Größe des halben Back-blechs ausrollen. Auf Backpapier auf das Blech legen. Die über-stehenden Ränder mit einem Teig-rad abschneiden und den Teig mit einer Gabel mehrmals einstechen.

❺ Zum Blindbacken Backpapier auf die Teigplatte legen, mit Hülsen-früchten beschweren. Das Back-blech in den vorgeheizten Backofen schieben (mittlere Schiene) und den Teig etwa 8 Minuten backen.

❻ Die Nussmasse auf dem Teig glatt streichen. Die Nussecken etwa

30 Minuten bei 200 °C (Umluft 180 °C, Gas Stufe 4) backen (mittlere Schiene). Auskühlen lassen und in kleine Dreiecke schneiden. Grüne Oliven in Scheiben schneiden. Die Nussecken damit garnieren.

Herzhafte Gemüsewaffeln

Für 6 Stück

250 g gemischtes Gemüse, z. B. Kartoffeln, Möhren, Lauch, Rettich, Kohlrabi, Zwiebeln, Spinat

250 g Weizenmehl, Type 1050

2 Eier

150 g Sahne

3 EL Parmesan

Kräutersalz, Pfeffer

Muskat

2 EL Olivenöl

🕐 Zubereitungszeit 30 Minuten

❶ Gemüse waschen, eventuell schälen und fein raspeln. Lauch putzen, waschen und in feine Ringe schneiden. Zwiebeln abziehen und klein würfeln. Mehl, Eier, Sahne und etwa 200 Milliliter Wasser mit den Quirlen des Handrührers glatt rühren. Gemüse und Parmesan unter den Teig rühren und mit Kräutersalz, Pfeffer und Muskat abschmecken. Der Teig sollte eine dick fließende Konsistenz haben.

❷ Waffeleisen erhitzen und mit Olivenöl auspinseln. 2–3 Esslöffel Teig in die Mitte geben und 6 hellbraune Waffeln backen. Warm mit Schmand zum Dippen servieren.

Waffelvarianten

• Den Teig zusätzlich mit Kräutern und Olivenpaste würzen.
• Grüne Waffeln mit Spinat- und Rucolapüree backen und mit einem Tomatendip oder dem Belag der Tomatenbruschette von Seite 115 servieren.
• Rote Waffeln mit geriebener Roter Bete und -saft zubereiten. Dazu schmeckt ein Apfel-Meerrettich-Dip.

Fertig gebackene Waffeln sollten Sie immer luftig abkühlen lassen und nicht warm aufeinander legen, sonst verlieren sie ihre Knusprigkeit.

Brotzeiten

Tomatenbruschetta

Für etwa 15 Stück

1 kg Strauchtomaten
1 Bund Basilikum
3 Knoblauchzehen
1 TL Tomatenmark
Salz, Pfeffer
1 Tüte italienische Ciabattabrötchen zum Aufbacken, 7–8 Stück
60 g weiche Butter

 Zubereitungszeit 25 Minuten

❶ Tomaten mit kochendem Wasser überbrühen und die Haut abziehen. Kerne und Flüssigkeit aus den Tomaten entfernen. Fruchtfleisch würfeln. Basilikum waschen und trockenschwenken. Blätter von den Stängeln zupfen und klein hacken. Knoblauch abziehen und in dünne Scheiben schneiden. Tomatenstückchen mit Basilikum, Knoblauch und Tomatenmark mischen, mit Salz und Pfeffer abschmecken.

❷ Backofen auf 200 °C (Umluft 180 °C, Gas Stufe 4) vorheizen. Ciabattabrötchen halbieren. Mit Butter bestreichen. Die Tomatenmasse darauf verteilen. Die Bruschette auf ein Backblech setzen. Dieses in den vorgeheizten Backofen schieben (mittlere Schiene) und die Bruschette 5–8 Minuten backen. Warm servieren.

Crostini mit Spargel

Für 12 Stück

12 Stangen grüner Spargel
Salz, 3 Tomaten
1/2 Briefchen Safranfäden
2 EL Weißwein
100 g geriebener Emmentaler
2 Eier
2 TL Estragon, Pfeffer
1 Baguettebrot, 2 EL weiche Butter

 Zubereitungszeit 35 Minuten

❶ Spargel waschen, Stangen halbieren und in gesalzenem Wasser bissfest kochen. Spargel abtropfen lassen. Im gleichen Kochwasser Tomaten blanchieren und häuten. Kerne und Saft entfernen. Fruchtfleisch würfeln. Backofen auf 200 °C (Umluft 180 °C, Gas Stufe 4) vorheizen.

❷ Wein erhitzen und Safran darin auflösen. Käse, Wein, Eier und Estragon verrühren. Pfeffern. Brot in 12 schräge Scheiben schneiden, mit Butter bestreichen. Auf ein Backblech legen. Das Blech in den Backofen schieben (mittlere Schiene) und die Brote 3 Minuten rösten.

❸ Je zwei Spargelstücke auf ein Brot legen, Tomaten darüber verteilen und mit der Käsemasse überziehen. Etwa 10 Minuten überbacken. Warm servieren.

TIPP

Mit halb fertigen Aufbackbrötchen bleiben die Bruschette nach dem Backen zart-knusprig.

Brotschaschlik

Für 12 Stück

je 2 Scheiben Pumpernickel,
Vollkorn- und Weißbrot
1 Minigurke
12 Cocktailtomaten
12 Radieschen
je 200 g Cheddar
und Camembert
1 Bund glatte Petersilie

🕐 **Zubereitungszeit 10 Minuten**

❶ Brotscheiben in Quadrate von
etwa 3 Zentimeter Seitenlänge
schneiden. Gurke waschen und in
Scheiben schneiden. Tomaten und
Radieschen waschen und putzen.

❷ Käse würfeln. Petersilie waschen
und trockenschwenken. Die Blätter
von den Stängeln zupfen. Alle
Zutaten für die Steinpilzcrostini
abwechselnd auf lange Holzspieße
stecken.

Steinpilzcrostini

Für 16 Stück

300 g frische Steinpilze	
2 Knoblauchzehen	
1 kleines Bund Thymian	
200 g Fontina oder Bergkäse	
2 Tomaten	
1 Baguettebrot	
5 EL Olivenöl	
Aceto balsamico	
Salz, Pfeffer	
2 EL Pesto	

🕐 **Zubereitungszeit 25 Minuten**

❶ Pilze waschen, putzen und in
1/2 Zentimeter dicke Scheiben
schneiden. Knoblauch abziehen und
fein hacken. Thymian waschen,
trockenschwenken, Blätter von den
Stängeln zupfen. Käse in dünne
Scheiben schneiden. Den Backofen
auf 200 °C (Umluft 180 °C, Gas
Stufe 4) mit Grillstufe vorheizen.

❷ Tomaten mit kochendem Wasser
überbrühen, Haut abziehen, Saft
und Kerne entfernen. Fruchtfleisch
würfeln. Baguette in 16 schräge
Scheiben schneiden.

❸ 2 Esslöffel Öl erhitzen. Pilze
anbraten. Knoblauch, Thymian
und Tomaten zugeben und
kurz mitdünsten. Mit
Essig, Salz und Pfeffer
abschmecken.

TIPP

Falls Sie frische Stein-
pilze für die Crostini
nicht bekommen
können, weichen
Sie 30 Gramm ge-
trocknete Steinpilze
1 Stunde in warmem
Wasser ein. Abtrop-
fen lassen und wie
die frischen Pilze
weiterverarbeiten.

❹ Das restliche Öl mit Pesto verrühren, auf die Baguette streichen und einige Minuten im Backofengrill rösten. Die Steinpilzmasse darauf verteilen, mit den Käsescheiben belegen. Den Käse unter dem Grill zerlaufen lassen.

Olivenbrötchen

Für 14 Stück

1 kleine Zwiebel
4 EL Olivenöl
5 getrocknete Tomaten, in Kräuteröl eingelegt
80 g schwarze Oliven
300 g Mehl, Type 1050
1 Prise Zucker
3/4 Tütchen Trockenhefe
1 Ei
2 TL Kapern
1/2 TL Salz
etwas Pfeffer
1–2 EL Milch

🕐 **Zubereitungszeit 105 Minuten Arbeitszeit 20 Minuten**

❶ Zwiebel abziehen und fein würfeln. In 1 Esslöffel Olivenöl anbraten und etwas auskühlen lassen. Getrocknete Tomaten aus der Marinade nehmen und klein schneiden. Die Oliven waschen, entkernen und zerkleinern.

❷ Mehl, Zucker, Hefe, Ei, das restliche Olivenöl oder das Kräuteröl der Tomaten, Zwiebel, Tomaten, Oliven, Kapern, Salz und Pfeffer in eine Schüssel geben. Alle Zutaten zu einem glatten Teig kneten. Eventuell noch tropfenweise Milch hineinarbeiten. Schüssel zugedeckt an einen warmen Ort stellen und den Teig 60 Minuten gehen lassen.

❸ Teig kurz durchkneten. Kleine Brötchen formen, auf ein gefettetes Backblech setzen und 10 Minuten gehen lassen. Die Brötchen mit Wasser besprenkeln, das Backblech in den kalten Backofen schieben (mittlere Schiene) und die Brötchen bei 200 °C (Umluft 180 °C, Gas Stufe 4) in 20 Minuten hellbraun backen.

Für das kulinarische Drumherum auf dem Buffettisch sorgen verschiedene Brötchensorten: Gemischt in einem Brotkorb anrichten und Butter dazu reichen.

Fetaschnecken

Für 16 Stück

200 g Schafskäse
2–3 EL Milch
200 g Mehl
1/2 Päckchen Trockenhefe
1 Prise Zucker
1 Ei
Pfeffer, Salz
75 g gehackte Zwiebeln
1 EL Olivenöl

Die Brötchen können einen Tag im Voraus hergestellt werden. Dazu die Backzeit um 3–5 Minuten verringern und am nächsten Tag aufbacken. Zum Einfrieren ebenso verfahren.

🕐 **Zubereitungszeit 110 Minuten
Arbeitszeit 25 Minuten**

❶ Käse zerdrücken. Milch, Mehl, Hefe, Zucker, Ei, Pfeffer und Salz zugeben und alles zu einem elastischen Teig kneten. Den Teig ruhen lassen, bis er sein Volumen verdoppelt hat.

❷ Zwiebeln im Öl anbraten, abkühlen lassen und in den Teig kneten. Teig in 12 Stücke teilen. In dünne Stangen rollen und jede fest zu einer Schnecke aufrollen. Etwas flach drücken. Schnecken auf ein mit Backpapier ausgelegtes Backblech legen. 15 Minuten gehen lassen.

❸ Schnecken mit Wasser besprenkeln. Backblech in den kalten Backofen schieben (mittlere Schiene) und die Schnecken bei 200 °C (Umluft 180 °C, Gas Stufe 4) in etwa 20 Minuten hellbraun backen.

Lassen Sie beim Bestreuen der Bagels Ihrer Phantasie freien Lauf. Sonnenblumenkerne, Mohn, Sesam, Kürbiskerne oder »ohne«. Mischen Sie die Dekoration – das bringt farbige Abwechslung (Seite 119).

Bagels

Für 10 Stück

450 g Mehl
1 Päckchen Trockenhefe
60 g weiche Butter, 1 EL Zucker
1 TL Salz, 1 Ei
1/8 l lauwarme Milch
Sesam, Kürbiskerne oder Leinsaat

🕐 **Zubereitungszeit 115 Minuten
Arbeitszeit 25 Minuten**

❶ Mehl mit Hefe, Butter, Zucker, Salz, Ei und Milch zu einem elastischen Teig kneten. 1 Stunde gehen lassen.

❷ Teig durchkneten. Zu 10 Kugeln formen. In jede Mitte ein Loch drücken und auf 4 Zentimeter weiten. Den Teig zu einem Ring formen. 15 Minuten gehen lassen.

❸ Reichlich Wasser mit 1 Esslöffel Salz zum Kochen bringen. Die Teigringe nach und nach etwa 1 Minute darin garen. Einmal umdrehen. Herausnehmen, abtropfen lassen und auf ein Backblech mit Backpapier setzen. Mit Sesam, Kürbiskernen oder Leinsaat bestreuen.

❹ Backblech in den kalten Backofen schieben (mittlere Schiene) und die Bagels bei 200 °C (Umluft 180 °C, Gas Stufe 4) 20 Minuten backen.

Gefüllte Sandwichtaschen

Joghurtfladenbrot

Für 8 Stück

500 g Mehl
1 Päckchen Trockenhefe
150 g zimmerwarmes Joghurt
2 EL Öl
1 Ei
1 TL Salz, 1 TL Zucker
1 Prise Cayennepfeffer

🕐 **Zubereitungszeit 100 Minuten Arbeitszeit 15 Minuten**

❶ Backofen auf 200 °C (Umluft 180 °C, Gas Stufe 4) vorheizen. Mehl und Hefe mischen, mit den restlichen Zutaten zu einem glatten, geschmeidigen Teig kneten. Eventuell tropfenweise lauwarmes Wasser in den Teig hineinarbeiten. Teig bedeckt 1 Stunde an einem warmen Ort gehen lassen, bis sich sein Volumen verdoppelt hat.

❷ Den Teig kurz kneten. Flache Fladen formen, mit Wasser besprenkeln und auf ein gefettetes Backblech legen. Fladen 10 Minuten gehen lassen. Das Backblech in den vorgeheizten Backofen schieben (mittlere Schiene) und die Fladen in etwa 15 Minuten hellbraun backen.

Servieren Sie die Sandwichtaschen in eine Serviette gehüllt und legen Sie sie in eine angewärmte Schüssel. Achten Sie darauf, die Taschen nicht zu üppig zu füllen, sonst wird's schwierig zu essen.

Avocadopüree mit Ei

Für 4 Stück

2 Eier
Salz
1 Kästchen Kresse
4 Kopfsalatblätter
Avocadopüree:
1 weiche Avocado
Saft 1/2 Limette oder Zitrone
1 Knoblauchzehe
1 kleine rote Zwiebel
1 Tomate
1/2 Bund frischer Koriander (Cilantro) oder Petersilie
Salz
Tabasco
2 Teigtaschen

🕐 **Zubereitungszeit 25 Minuten**

❶ Eier in 9 Minuten hart kochen, abschrecken, pellen und abkühlen lassen. Mit einem Eierschneider in Scheiben schneiden und salzen. Kresse mit einer Schere aus dem Kästchen schneiden. Salatblätter waschen und trocknen.

❷ Avocado längs aufschneiden, den Kern entfernen und das Fleisch mit einem Esslöffel herausnehmen. Mit dem Limettensaft pürieren.

❸ Knoblauch und Zwiebel abziehen. Knoblauch zerdrücken, Zwiebel klein würfeln. Tomate mit kochendem Wasser überbrühen, häuten, Kerne entfernen und das Fruchtfleisch in kleine Stückchen schneiden.

❹ Cilantro oder Petersilie waschen, trockenschwenken, Blätter von den Stängeln streifen und fein hacken. Die Zutaten mit dem Avocadopüree vermischen und mit Salz und Tabasco abschmecken.

❺ Die Teigtaschen halbieren, mit Wasser befeuchten und 2–3 Minuten unter dem Grill erwärmen. Aufklappen und mit Avocadopüree ausstreichen. Salatblätter, Eierscheiben und Kresse in die Taschen füllen und etwas über den Rand herausschauen lassen.

Fruchtige Gorgonzola-Creme-Füllung

Für 4 Stück

150 g Gorgonzola
100 g Schmand
1 Möhre
1 unbehandelte Orange
einige Blättchen Feldsalat
2 Teigtaschen
2 EL Preiselbeermus
3 EL gehackte Walnüsse
Salz
etwas Aceto balsamico

🕐 **Zubereitungszeit 10 Minuten**

❶ Gorgonzola mit einer Gabel fein zerdrücken und mit dem Schmand zu einer glatten Creme rühren.

❷ Möhre waschen, schälen und in dünne Stifte schneiden. Orange schälen und die Filets aus den weißen Häutchen schneiden. Feldsalat waschen, putzen und trockenschwenken.

❸ Teigtaschen unter dem Grill erwärmen, aufklappen und mit Gorgonzolacreme ausstreichen. Mit den Möhrenstiften, Orangenstückchen, Preiselbeermus, Walnüssen und Feldsalat füllen, so dass der Feldsalat noch etwas herausschaut. Nach Belieben etwas Salz und einige Spritzer Aceto balsamico darüber geben.

TIPP

Das Joghurtfladenbrot können Sie mit dem Avocadopüree und der Gorgonzolacreme füllen. Wenn es schnell gehen soll, können Sie auch fertige Teigtaschen verwenden. Sie bekommen sie in Folie verpackt als Weißmehl- oder Vollkornweizenfladen.

Gemüse-Käse-Füllung mit Knoblauchcreme

Für 4 Stück

1 Knoblauchzehe
120 g Schmand
1 EL Walnussöl
1/2 TL Senf
Kräutersalz, Pfeffer
2 Teigtaschen
150 g Käse am Stück
1/2 rote Paprikaschote
1/4 Salatgurke
3 Radieschen
2 Champignons
4 gewaschene Kopfsalatblätter
2 EL Schnittlauchröllchen
etwas Zitronensaft

🕐 **Zubereitungszeit 15 Minuten**

❶ Knoblauch abziehen und zer-drücken. Mit Schmand, Öl und Senf vermischen. Mit Salz und Pfeffer ab-schmecken. Teigtaschen kurz unter dem Grill erwärmen.

❷ Käse in dünne Scheiben schnei-den. Paprikaschote in Stifte schnei-den. Gurke waschen, ebenfalls in Stifte schneiden. Radieschen waschen, Champignons abreiben. In Scheiben schneiden.

❸ Teigtaschen aufklappen, Creme und alle Zutaten hineingeben. Mit Zitronensaft beträufeln und mit Salz würzen.

Die Tacos können beliebig mit verschie-denen Gemüsesorten gefüllt werden. Achten Sie dabei auf farbliche und geschmackliche Harmonie. Das cremige Avocadopüree darf jedoch nicht fehlen (Seite 123).

Mexikanische Füllung mit Kidneybohnen

Für 4 Stück

2 Teigtaschen
1 kleine Zwiebel
1/2 Bund Petersilie oder frischer Koriander (Cilantro)
3 Tomaten
1/4 Salatgurke
1 Rezept Avocadopüree (Seite 120)
1/2 Rezept Salsa picante (Seite 127)
4 EL rote Kidneybohnen aus der Dose
etwas Zitronensaft
12 Nachos aus der Tüte

🕐 **Zubereitungszeit 10 Minuten**

❶ Teigtaschen zur Hälfte durch-schneiden, mit Wasser befeuchten und 2–3 Minuten unter dem Grill erwärmen. Zwiebel abziehen und in Ringe schneiden. Petersilie waschen, trockenschwenken, die Blätter von den Stängeln zupfen und fein hacken. Tomaten und Gurke waschen. Tomaten in Scheiben und die Gurke in Stifte schneiden.

❷ Erwärmte Teigtaschen aufklap-pen und mit Avocadopüree und Salsa picante ausstreichen. Mit Kidneybohnen, Tomatenscheiben, Gurkenstiften, Zwiebelringen und Petersilie füllen. Mit Zitronensaft beträufeln und die Nachos hinein-stecken.

Pizzabrötchen

Mit Trockenhefe lassen sich genauso lockere Hefeteige zubereiten wie mit frischer Hefe. Der große Vorteil ist, dass Trockenhefe länger haltbar ist und auch auf Vorrat gekauft werden kann.

Für etwa 15 Stück

500 g Mehl, Type 1050

1 Päckchen Trockenhefe

1 TL Salz

1 Prise Zucker

1 Prise Cayennepfeffer

1 EL Olivenöl

Sesam, Mohn, Kümmel oder grobes Salz zum Bestreuen

🕐 **Zubereitungszeit 95 Minuten
Arbeitszeit 15 Minuten**

❶ Mehl, Trockenhefe, Salz, Zucker und Cayennepfeffer in einer Schüssel mischen. Etwa 300 Milliliter lauwarmes Wasser und das Öl zugeben und alles zu einem glatten, geschmeidigen Teig kneten. Den Teig mit einem Tuch bedecken und 45 Minuten an einem warmen Ort gehen lassen, bis sich sein Volumen verdoppelt hat.

❷ Die Luft aus dem Teig kneten und etwa 15 Kugeln formen. Auf ein mit Backpapier ausgelegtes Backblech setzen und 15 Minuten gehen lassen.

❸ Brötchen mit Wasser besprenkeln und nach Belieben mit Sesam, Mohn, Kümmel oder grobem Salz bestreuen. Das Backblech in den kalten Backofen schieben (mittlere Schiene)

und die Brötchen bei 200 °C (Umluft 180 °C, Gas Stufe 4) in etwa 25 Minuten hellbraun backen.

Focaccia-Brot

Für 8 Stück

500 g Mehl, Type 1050

1 Päckchen Trockenhefe

7 EL Olivenöl

125 ml Milch

1 TL Salz

1 Prise Cayennepfeffer

1 TL Akazienhonig

je 1 EL Fenchelsamen, Pinienkerne, grobes Salz, Rosmarinnadeln

🕐 **Zubereitungszeit 85 Minuten
Arbeitszeit 15 Minuten**

❶ Mehl und Hefe mischen und Öl, lauwarme Milch, Salz, Pfeffer und Honig zugeben. Zu einem geschmeidigen Teig kneten, eventuell noch lauwarmes Wasser tropfenweise hineinkneten. Teig bedeckt 45 Minuten an einem warmen Ort gehen lassen.

❷ Backofen auf 200 °C (Umluft 180 °C, Gas Stufe 4) vorheizen.

❸ Teig kurz durchkneten und in acht Stücke schneiden. Flache Fladen formen, mit Wasser besprenkeln und auf ein gefettetes Backblech legen. Mit Fenchelsamen, Pinienkernen, grobem Salz und Rosmarinnadeln bestreuen. Fladen 10 Minuten gehen lassen. Backblech in den Backofen schieben (mittlere Schiene) und die Fladen in etwa 15 Minuten backen.

Die italienischen Focaccia-Fladenbrote werden mit viel Olivenöl gebacken. Für den Geschmack ist daher ein gutes, aromatisches Öl wichtig.

Brötchen-Varianten

❶ Zum Frühstück Teig am Abend zubereiten, kühlen, morgens kneten und Brötchen backen.

❷ Für Burger-Brötchen warme Milch statt Wasser verwenden und Öl durch Butter ersetzen.

❸ Für Partybrot Brötchen dicht aneinander in eine Form setzen, bestreuen und backen.

Shiitakepastete

Für etwa 10 Stück

Für die Shiitakepastete sollten Sie nach Möglichkeit frische Kräuter verwenden. Sie sind viel aromatischer als getrocknete und geben den Pasteten einen hervorragenden Geschmack.

5 getrocknete Shiitakepilze
1 kleine Schalotte
je 1 kleiner Zweig Rosmarin und Thymian
2 TL Butter
1 EL Sojasauce
50 g Hefeflocken
1/2 TL Senf
1/4 TL Curry
etwas Zitronensaft
Salz, Peffer

🕐 **Zubereitungszeit 60 Minuten
Arbeitszeit 15 Minuten**

❶ Shiitakepilze 1 Stunde in warmem Wasser einweichen. Pilze abtropfen lassen, klein würfeln. Einweichflüssigkeit aufbewahren. Schalotte abziehen und zerkleinern. Rosmarin und Thymian waschen und trockenschwenken. Nadeln bzw. Blättchen von den Stängeln zupfen und fein hacken.

❷ Butter erhitzen. Schalotte glasig dünsten. Pilze zugeben und weich dünsten. Mit Sojasauce ablöschen. Flüssigkeit verdampfen lassen.

❸ 50 Milliliter Einweichflüssigkeit in einen Mixer geben, nach und nach Hefeflocken zufügen und mixen. Zwei Drittel der Pilzmasse, Kräuter, Senf und Curry zugeben und zu einer glatten Paste pürieren. In ein Schälchen umfüllen und die restliche Pilzmasse unterrühren. Mit Zitronensaft, Salz und Pfeffer abschmecken.

Tofuspread

Für etwa 10 Stück

1 kleines Glas Cornichons
150 g Tofu
1 EL Sahne oder Öl
2 Stängel Dill
20 g Apfel
20 g rote Paprikaschote
1–2 TL Zitronensaft
1 TL Sojasauce
Salz
Pfeffer

🕐 **Zubereitungszeit 10 Minuten**

❶ Aus dem Cornichonglas 3 Esslöffel Gurkenwasser abnehmen. Tofu zerkrümeln und mit dem Gurkenwasser und der Sahne in einen Mixer geben und glatt

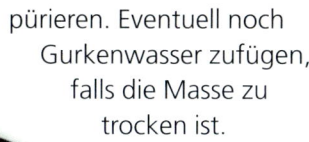

pürieren. Eventuell noch
Gurkenwasser zufügen,
falls die Masse zu
trocken ist.

❷ Dill waschen,
trockenschwenken
und fein hacken.
Apfel und Paprikaschote
waschen. Apfel schälen, vierteln
und das Kerngehäuse entfernen.
1 Cornichon, Apfel und Paprika
fein würfeln, den Apfel sofort mit
1 Teelöffel Zitronensaft beträufeln,
damit er sich nicht braun verfärbt.

❸ Die Zutaten mit der Sojasauce
zur Tofumasse geben und verrühren. Mit Salz, Pfeffer und eventuell
Zitronensaft abschmecken.

Salsa picante

Für knapp 200 ml

1 TL Koriander, ganz
1/2 TL Cumin, ganz
1 getrocknete rote Chilischote
1/2 TL Oregano
1 kleine Zwiebel
140 g Tomatenmark
Salz
Pfeffer
Essig

🕐 **Zubereitungszeit 8 Minuten**

❶ Koriander, Cumin, Chilischote
und Oregano trocken in einer
Pfanne kurz anrösten und in einem
Mörser oder einer Gewürzmühle
zermahlen. Zwiebel abziehen und
klein schneiden.

❷ Gewürze und Zwiebel
mit dem Tomatenmark
mischen und mit
Wasser zu einer
glatten Paste
rühren. Mit
Salz, Pfeffer
und Essig
abschmecken.

TIPP

Die scharf-pikante
Salsa mit Avocado-
püree auf Kräcker
streichen oder
beides als Dip zu
Nachos reichen.

Süße Stückchen

Süße Früchtchen auf Gelee

Für 12 Stück

1 gestrichener TL Agar-Agar
250 ml Fruchtsaft,
z. B. aus Kirschen, Himbeeren,
Mango, rosa Grapefruit, Orange,
Pflaume oder Melone
12 frische Früchte, z. B. Erdbeeren,
Kiwi, Weintrauben, Karambole,
Stachelbeeren, Feigen oder Physalis

🕐 **Zubereitungszeit 135 Minuten
Arbeitszeit 15 Minuten**

❶ Agar-Agar und Fruchtsaft in
einem Topf verrühren und unter
Rühren kurz aufkochen lassen.
Flüssigkeit in ein hitzebeständiges,
rechteckiges Gefäß von etwa
9 x 12 Zentimeter füllen und im
Kühlschrank ungefähr 2 Stunden
fest werden lassen.

❷ Zum Stürzen das Gefäß kurz in
heißes Wasser tauchen und mit
einem spitzen Messer am Rand
entlang schneiden. Auf ein Brettchen stürzen und das Gelee mit
einem scharfen, dünnen Messer in
12 Würfel schneiden.

❸ Die frischen Früchte waschen,
putzen und abtrocknen. Je nach
Größe in Stücke schneiden. Mit
einem Zahnstocher auf die Gelee-
würfel spießen.

Marinierte Melonenbällchen

Für 15–20 Stück

1 Stück Wassermelone (ca. 800 g)
1/2 Zitrone
1 EL Zucker
2 EL Campari
8 frische Rosmarinnadeln

🕐 **Zubereitungszeit 40 Minuten
Arbeitszeit 10 Minuten**

❶ Die Melonenkerne entfernen.
Aus dem Fruchtfleisch kleine Bällchen herausschneiden. Den Saft
dabei auffangen.

❷ Die Zitrone auspressen und den
Saft mit Zucker, Campari, Melonen-
saft und Rosmarinnadeln vermischen. Die Bällchen darin etwa
30 Minuten zugedeckt im Kühlschrank marinieren.

❸ In die Bällchen Zahnstocher
stecken und mit der Marinade und
Eiswürfeln anrichten.

Variante

Fruchtsäfte lassen sich auch hervorragend mit Alkohol aromatisieren
und zu Gelee verarbeiten. Folgende
Kombinationen passen am besten:
Grapefruitsaft mit Campari, Orangensaft mit Cointreau, Mangosaft
mit Wodka und Kirschsaft mit
Kirschwasser.

TIPP

Kombinieren Sie die
süßen Früchtchen
auf Gelee mit farb-
lichem Kontrast:
z. B. Kiwi auf Kirsch-
gelee, Stachelbee-
ren auf Himbeer-
gelee, Erdbeeren
auf Mangogelee.

Datteln mit Käse und Kumquats

Für 10 Stück

10 frische Datteln
60 g Weinbergkäse, ersatzweise Münsterkäse
2 Kumquats

🕐 **Zubereitungszeit 10 Minuten**

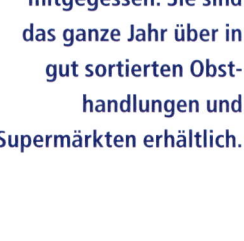

Kumquats sehen aus wie kleine, ovale Mini-orangen, sind aber nur Verwandte der Zitrus-früchte. Die Schale wird mitgegessen. Sie sind das ganze Jahr über in gut sortierten Obst-handlungen und Supermärkten erhältlich.

❶ Die Datteln längs einritzen und den Kern entfernen. Weinbergkäse in 10 längliche Stücke schneiden, in die Datteln legen und etwas zusammendrücken.

❷ Kumquats heiß waschen und abtrocknen. In 10 dünne Scheiben schneiden, je eine Scheibe auf jede gefüllte Dattel setzen und als kleine Häppchen servieren.

Nektarine mit Mascarpone

Für 16 Stück

4 Nektarinen
100 g Mascarpone
100 g Magerquark
1 EL Puderzucker
1 EL Cointreau
1 Bund Minze
50 g Pumpernickel

🕐 **Zubereitungszeit 10 Minuten**

❶ Die Nektarinen waschen, vierteln und den Kern mit einem Messer herauslösen. Die Schalenseiten der Nektarinenviertel gerade schneiden, um die Auflagefläche zu vergrößern. So bleiben sie besser liegen.

❷ Mascarpone, Magerquark, Puderzucker und Cointreau in eine Schüssel geben und vermischen. In eine Spritztüte füllen und kleine Rosetten in die Nektarinenviertel spritzen.

❸ Minze waschen und trockenschwenken. Die Blättchen von den Stängeln zupfen. Pumpernickel fein zerkrümeln, auf die Mascarponecreme streuen und leicht festdrücken. Mit den Minzeblättchen garnieren. Als fruchtigen Snack auf dem Buffet reichen.

Feigen mit Camembert und Johannisbeeren

Für 10 Stück

5 frische Feigen	
100 g Camembert	
10 TL Fruchtaufstrich aus schwarzen Johannisbeeren	

🕐 **Zubereitungszeit 5 Minuten**

❶ Feigen waschen, abtrocknen und quer in der Mitte durchschneiden.

Stielansatz wegschneiden, so dass auch die oberen Hälften eine gute Standfläche bekommen.

❷ Camembert in dünne Stücke schneiden und auf die Feigen legen. Darauf jeweils 1 Teelöffel Fruchtaufstrich geben. Auf einer Platte anrichten. Nach Belieben mit kleinen Minzblättchen garnieren.

Pflaumen mit Ricottacreme

Für 10 Stück

2 EL Pinienkerne	
Schale 1/2 unbehandelten Zitrone	
2 EL Rosinen	
125 g Ricotta	
2 TL Zucker	
1 TL Aceto balsamico	
5 große Pflaumen	
Zimt oder Kakaopulver	

🕐 **Zubereitungszeit 15 Minuten**

❶ Pinienkerne ohne Fettzugabe in einer Pfanne bei mittlerer Hitze rösten und hacken. Zitrone heiß waschen, trocknen und die Schale abreiben. Rosinen fein zerkleinern. Diese Zutaten mit dem Ricotta, Zucker und Aceto balsamico verrühren und abschmecken.

❷ Pflaumen waschen, halbieren und die Kerne entfernen. Die Ricottacreme in eine Spritztülle füllen und kleine Rosetten auf die Pflaumenhälften spritzen. Mit Zimt oder Kakaopulver bestäuben.

TIPP

Schwarzer Johannisbeer-Fruchtaufstrich aus dem Naturkostgeschäft schmeckt nach purer Frucht. Genau richtig, um mit frischen Feigen und Camembert kombiniert zu werden.

Zitronenröllchen aus Biskuit

Zum Vorbereiten Rollen ungeschnitten in Frischhaltefolie wickeln und im Kühlschrank aufbewahren.

Für etwa 18 Stück

2 Eier
1 Prise Salz
60 g Zucker
50 g Mehl
1 kleine, unbehandelte Zitrone
125 g Mascarpone
60 g Sahne
Zucker zum Bestreuen

🕐 **Zubereitungszeit 50 Minuten
Arbeitszeit 25 Minuten**

❶ Den Backofen auf 200 °C (Umluft 180 °C, Gas Stufe 4) vorheizen. Eier trennen. Eiweiß mit Salz zu festem Eischnee schlagen. Eigelbe, 40 Gramm Zucker und 2 Esslöffel heißes Wasser in eine Schüssel geben und mit den Quirlen des Handrührers dick und cremig aufschlagen.

❷ Mehl darüber sieben und kurz unterrühren. Ein Drittel des Eischnees unter die Masse rühren, dann den restlichen Eischnee unterheben.

❸ Ein Backblech zur Hälfte mit Backpapier auslegen und den Teig darauf streichen. Das Backblech in den vorgeheizten Backofen schieben (mittlere Schiene) und den Teig in 10 Minuten backen.

❹ Den Biskuit sofort auf ein mit Zucker bestreutes Küchentuch stürzen. Backpapier mit Wasser besprenkeln und abziehen. Teig der Länge nach halbieren. Beide Stücke mit Hilfe des Küchentuchs von den breiten Seiten her, jede für sich, dicht aufrollen und auskühlen lassen.

❺ Für die Füllung Zitrone heiß abwaschen und abtrocknen. Die Schale abreiben und den Saft auspressen. 20 Gramm Zucker und Zitronenschale mit dem Mascarpone verrühren und mit Zitronensaft abschmecken. Sahne steif schlagen und unterheben.

❻ Biskuitrollen vorsichtig auseinander rollen und das Küchentuch entfernen. Zitronenfüllung nicht ganz bis zum äußersten Rand aufstreichen. Alles wieder dicht aufrollen. Eventuell herausquellende Füllung entfernen, damit man die Röllchen besser anfassen kann. Rollen in 2–3 Zentimeter dicke Scheiben schneiden.

Leicht und locker – die Zitronenröllchen sind besonders beliebt. Sie lassen sich gut im Stehen vernaschen, wenn man sich mit netten Freunden unterhält (Seite 133).

Mascarpone

Mascarpone ist ein italienischer Frischkäse mit weißlicher bis hellgelber Farbe. Sein Geschmack ist sahnig-mild. Er ist häufig Grundlage von Pastasaucen.

Marzipanpäckchen

Für 12 Stück

300 g Yufkateig
3 Boskopäpfel
150 g Marzipanrohmasse
50 g Mandeln
50 g Butter
100 ml Milch
Zucker und Zimt zum Bestreuen

🕐 **Zubereitungszeit 50 Minuten
Arbeitszeit 20 Minuten**

Das indische Konfekt schmeckt am besten nach zwei Tagen, wenn es gut durchgezogen ist, und hält sich, kühl und trocken aufbewahrt, bis zu zehn Tagen.

❶ Yufkateig aus der Packung nehmen, aufklappen und mit Wasser besprenkeln. Mit einem feuchten Küchentuch abgedeckt 20 Minuten ruhen lassen.

❷ Die Äpfel waschen, schälen und aus dem ganzen Apfel das Gehäuse ausstechen. Den Apfel quer in etwa 3 Millimeter dünne Scheiben schneiden. Marzipan in 12 schmale Scheiben schneiden und zwischen jeweils zwei Apfelscheiben legen. Mandeln fein hacken.

134 ❸ Die Butter zerlassen und mit der Milch vermischen. Den Teig in

Quadrate von 15 Zentimeter Seitenlänge schneiden und mit der Butter-Milch-Mischung von beiden Seiten bestreichen.

❹ Die Apfel-Marzipan-Scheiben in die Mitte eines Teigblatts legen, mit Mandeln, Zucker und Zimt bestreuen und die gegenüberliegenden Seiten im Wechsel darüber klappen. Mit der Nahtstelle nach unten auf ein mit Backpapier ausgelegtes Backblech setzen.

❺ Das Backblech in den kalten Backofen schieben (mittlere Schiene) und die Päckchen bei 200 °C (Umluft 180 °C, Gas Stufe 4) in etwa 20 Minuten goldgelb backen.

Indisches Konfekt

Für 20 Stück

125 g Butter
220 g Kichererbsenmehl (Besan)
100 g Sahne
120 g brauner Zucker
2 EL gehackte Cashewnüsse
1 EL Mandelmehl
1/2 TL Kardamom
1/4 TL geriebene Muskatnuss
1/4 TL Zimt
Mandelmehl oder gehackte Pistazien zum Wälzen

🕐 **Zubereitungszeit 45 Minuten**

❶ Butter und Kichererbsenmehl in einen Topf geben. Bei schwacher Hitze unter mehrmaligem Rühren in 30 Minuten goldbraun rösten.

❷ Sahne und Zucker unter Rühren aufkochen lassen. Unter die Butter-Mehl-Masse rühren. Von der Kochstelle nehmen. Nüsse, Mandeln, Kardamom, Muskat und Zimt unterrühren. Abschmecken.

❸ Aus der abgekühlten Masse walnussgroße Bällchen formen. In Mandelmehl oder gehackten Pistazien wälzen. In kleine Papierförmchen setzen.

Orangen-Kürbiskern-Mutzen

Für 30 Stück

50 g Butter
40 g Zucker
175 g Mehl
50 g gemahlene Kürbiskerne
1 Ei
3 EL Cointreau
1 abgeriebene Schale einer unbehandelten Orange
1 Prise Salz
Öl zum Frittieren
Puderzucker zum Bestäuben

🕐 **Zubereitungszeit 55 Minuten**
Arbeitszeit 25 Minuten

❶ Butter zerlassen und mit Zucker, Mehl, Kürbiskernen, Ei, Cointreau, Orangenschale und Salz in eine Schüssel geben und zu einem glatten Teig zusammenfügen. In Folie wickeln und 30 Minuten im Kühlschrank ruhen lassen.

❷ Teig auf einer bemehlten Arbeitsfläche 1 Zentimeter dick ausrollen. In kleine Dreiecke schneiden.

❸ In einen Topf 3 Finger hoch Öl einfüllen und erhitzen. Die Mutzen darin portionsweise hellbraun ausbacken und auf Küchenpapier abtropfen lassen. Mit Puderzucker bestäuben.

TIPP

In einer geschlossenen Dose halten sich die Orangen-Kürbiskern-Mutzen einige Tage.

Grappakrapfen mit Rosinen

Für etwa 35 Stück

4 EL Rosinen
5 EL Grappa
50 g Butter
Muskat
1 Prise Salz
200 g Mehl
4 Eier
1 unbehandelte Zitrone
1 TL Zucker
50 g Frischkäse
Öl zum Frittieren
Puderzucker zum Bestäuben

🕐 **Einweichzeit 12 Stunden
Zubereitungszeit 45 Minuten**

❶ Die Rosinen in Grappa über
Nacht zugedeckt einweichen.
1/4 Liter Wasser, Butter, Muskat
und 1 Prise Salz in einem Topf
aufkochen und das gesamte Mehl
hineinschütten.

❷ Die Masse zu einem Kloß rühren
und diesen bei schwacher bis mittlerer Hitze 1 Minute von allen Seiten
»anbraten«. Dabei entsteht ein
heller Belag am Topfboden.

*Die in Grappa getränk-
ten Weinbeeren dürfen
bei den Krapfen nicht
fehlen. Leicht mit
Puderzucker bestäubt,
kommen die Krapfen
sehr gut bei Party-
gästen an (Seite 137).*

❸ Teigklumpen in eine Schüssel
geben. Die Eier verquirlen. Etwa ein
Viertel davon unter den Kloß mischen und 10 Minuten abkühlen
lassen.

❹ Zitrone heiß abspülen und
abtrocknen. Die Schale abreiben.
Die restliche Eimasse nach und nach
dem Teig zufügen und mit den
Knethaken des Handrührgeräts
unterrühren. Die eingeweichten
Rosinen mit Grappa, Zucker,
Frischkäse und Zitronenschale
dazugeben und alles vermischen.

❺ Drei Finger hoch Öl in einen Topf
füllen und erhitzen. Mit 2 nassen
Teelöffeln Teigmasse abstechen, zu
Klumpen formen. Vorsichtig in das
heiße Öl geben. Krapfen portionsweise einige Minuten goldbraun
ausbacken.

❻ Die Krapfen auf Küchenpapier
abtropfen lassen, damit das über-
schüssige Fett aufgesaugt werden
kann. Krapfen leicht mit Puderzucker bestäuben.

Grappa

Tresterbranntwein wird aus den
Pressrückständen der Weinher-
stellung erzeugt, also aus Kernen,
Schalen und Stängeln. In Italien,
wo er bereits vor 1000 Jahren
destilliert wurde, bezeichnet man
ihn als Grappa. Die steile Karriere
des Grappas begann gegen Ende
der 60er Jahre. Zuvor war er ein
Getränk der Ärmsten.

Amaretti

Für 20 Stück

100 g Mandeln
100 g Marzipanrohmasse
30 g Mehl
2 TL Bittermandelextrakt
4 Eiweiß
1 Prise Salz
100 g feiner Zucker
2 EL Puderzucker

🕐 **Zubereitungszeit 45 Minuten
Arbeitszeit 15 Minuten**

❶ Die Hälfte der Mandeln mahlen. Die andere Hälfte mit kochendem Wasser überbrühen und die Haut zwischen den Fingern abstreifen. Mandeln gut abtrocknen und ebenfalls fein mahlen. Marzipanrohmasse zerkrümeln und mit Mandeln, Mehl und Bittermandelextrakt vermischen. Backofen auf 150 °C (Umluft 120 °C, Gas Stufe 1) vorheizen.

❷ Eiweiß mit einer Prise Salz auf kleinster Stufe des Handrührers steif schlagen, dabei langsam den Zucker einrieseln lassen. Ein Drittel des

Frische Schokolade

Für etwa 30 Stück

300 g Zartbitter-, Vollmilch- oder weiße Kuvertüre
30 Früchte, z. B. Physalisfrüchte mit Kelchblättern, Erdbeeren mit Grün, Kirschen mit Stiel, frische Datteln, Kumquats

🕐 **Zubereitungszeit 30 Minuten**

❶ Kuvertüre klein schneiden und im Wasserbad bei schwacher Hitze langsam schmelzen. Oder die Schokolade in eine Glasschüssel geben und in einer Mikrowelle etwa 5 Minuten bei 600 Watt erwärmen.

❷ Die Früchte waschen und abtrocknen. Die Früchte müssen vor dem Eintauchen trocken sein und Zimmertemperatur haben. Die Kelchblätter der Physalis zurückklappen. Früchte zur Hälfte in das Kuvertürebad tauchen, etwas abtropfen lassen und zum Festwerden auf Pergamentpapier oder auf ein Abtropfgitter legen.

❸ Schokoladenfrüchte in einer Schale anrichten; Früchte ohne Stiel an Holzspießchen servieren.

Eischnees in die Marzipanmasse einrühren, dann den Rest unterheben.

❸ Mit einem kleinen Eisportionierer Halbkugeln aus der Marzipanmasse formen und auf ein mit Backpapier ausgelegtes Backblech setzen. Dabei den Eisportionierer zwischendurch in Wasser tauchen. Die Marzipankugeln mit Puderzucker bestäuben.

❹ Das Backblech in den vorgeheizten Backofen schieben (mittlere Schiene) und die Amaretti bei etwas geöffneter Ofentür (einen Löffel dazwischenklemmen) etwa 30 Minuten backen. Amaretti auskühlen lassen, in einer Dose aufbewahren und zum Kaffee oder Espresso servieren.

Lychees mit Marzipan

Für 25 Stück

1 Dose Lychees (280 g)
100 g Marzipanrohmasse
1–2 TL Rosenwasser
einige ungespritzte Rosenblütenblätter

🕐 **Zubereitungszeit 10 Minuten**

❶ Lychees in ein Sieb geben und abtropfen lassen. Marzipanrohmasse in 25 längliche Stückchen schneiden und in die Lychees drücken.

❷ Auf einem Teller oder in einer Schale anrichten und mit 1–2 Teelöffeln Rosenwasser beträufeln. Mit Rosenblüten garnieren, die man mitessen kann. Bald servieren.

Eiweiß schlagen

Damit die Eiweißmasse steif wird, auf Folgendes achten:
• Eier sorgfältig trennen. Im Eiweiß dürfen keine Reste von Eigelb oder andere Verunreinigungen sein.
• Nur frische Eier verwenden.
• Rührschüssel und Quirle müssen absolut sauber und fettfrei sein.
• Eiweißmasse auf der kleinsten Stufe des Handrührgeräts schlagen. Das Eiweiß ist fest, wenn es beim Herausziehen der Quirle kleine Spitzen bildet .

Lychees in der Dose gibt es in Supermärkten und im Asienhandel. Frische Lychees kann man leider nicht entkernen, ohne zu viel vom Fruchtfleisch zu zerstören.

Miniwindbeutel mit Pflaumen-Rum-Sahne

TIPP

Alternativ können Sie die Miniwindbeutel auch mit Sauerkirschen und steif geschlagener Sahne, verfeinert mit Kakaopulver, Kirschwasser und Akazienhonig, füllen.

Für 30 Stück

100 g Butter, 1 Prise Salz
150 g Mehl
4 Eier
400 g Sahne
2 Päckchen Sahnesteif
2 TL Puderzucker, 3–4 EL Rum
1 Prise Bourbonvanille
1 Glas Pflaumenmus
Puderzucker zum Bestäuben

🕐 **Zubereitungszeit 60 Minuten
Arbeitszeit 25 Minuten**

❶ 1/4 Liter Wasser, Butter und Salz in einem Topf aufkochen. Mehl auf einmal in den Topf schütten und die Masse bei mittlerer Hitze zu einem Kloß rühren. Diesen etwa 1 Minute anbraten. Dabei bildet sich am Topfboden ein heller Belag.

❷ Teigkloß in eine Schüssel geben. Eier verquirlen und ein Viertel davon in den Teigklumpen hineinrühren. 10 Minuten abkühlen lassen.

❸ Den Backofen auf 180 °C (Umluft 160 °C, Gas Stufe 3) vorheizen. 2 Backbleche mit Backpapier auslegen. Mit Wasser besprenkeln.

❹ Die restliche Eimasse nach und nach mit den Knethaken des Handrührers unter den Teig rühren.

Pflaumenmus mit Rum-Sahne – bei den Miniwindbeuteln ist genießen erlaubt. Weil sie so klein sind, dürfen Sie ruhig zwei essen (Seite 141).

Dabei das Ei nach jeder Zugabe immer vollständig untermischen und die Teigkonsistenz prüfen: Sie darf nicht zu weich werden, und die Teigspitzen müssen stehen. Eventuell nicht die ganze Eimasse verwenden.

❺ Die Masse in eine Spritztüte mit Sterntülle füllen. 30 kleine Rosetten mit Abstand auf die Bleche spritzen. Die Backbleche nacheinander in den vorgeheizten Backofen schieben (mittlere Schiene) und die Windbeutel 25 Minuten backen. In den ersten 15 Minuten die Backofentür nicht öffnen, sonst fallen sie zusammen. Windbeutel vom Blech nehmen und auskühlen lassen. Zum Füllen in der Mitte aufschneiden.

❻ Die Sahne mit den Quirlen des Handrührers anschlagen. Sahnesteif und Puderzucker darüber sieben und alles steif schlagen. Rum und Bourbonvanille unterrühren und abschmecken. Die Sahne in eine Spritztüte füllen.

❼ Jeweils 1 Teelöffel Pflaumenmus in die Windbeutel geben, darauf etwas Sahne spritzen und zuklappen. Windbeutel mit Puderzucker bestäuben.

❽ Die Miniwindbeutel sollten Sie so schnell wie möglich verzehren, dann schmecken sie am besten.

Maronenmuffins

Für 20 Stück

3 Eier
100 g weiche Butter
80 g Zucker
1 Prise Salz
150 g Mehl
1 TL Backpulver
150 g ungesüßtes Maronenpüree aus der Dose
2 EL Kirschwasser
abgeriebene Schale
1 unbehandelten Zitrone
Puderzucker
gehackte Pistazien

Für ein gutes Gelingen der Muffins müssen alle Zutaten Zimmertemperatur haben. Dann verbinden sie sich besser.

🕐 **Zubereitungszeit 55 Minuten**
Arbeitszeit 15 Minuten

❶ Eier trennen. Butter und Zucker mit einem Handrührer einige Minuten cremig aufschlagen. Eigelbe nach und nach zur Butter-Zucker-Masse geben und in etwa 5 Minuten schaumig rühren. Eiweiß mit einer Prise Salz steif schlagen.

❷ Mehl und Backpulver mischen und mit dem Maronenpüree, Kirschwasser und Zitronenschale der Teigmasse zufügen und alles kurz vermengen. Ein Drittel des Eischnees unterrühren, dann den Rest unterheben. Der Teig sollte schwer reißend vom Löffel fallen. Ist er zu zäh, 1–2 Esslöffel Milch hineinrühren.

❸ Teig in 20 kleine Papierförmchen geben (jeweils 2 Förmchen ineinander stellen) oder in gefettete Muffinbleche füllen. Die Muffins in den kalten Backofen schieben (mittlere Schiene) und bei 180 °C (Umluft 160 °C, Gas Stufe 3) etwa 40 Minuten backen, bis sie goldbraun werden. Mit Puderzucker und Pistazien bestreuen.

Maronenpürree

Das Maronenpürree kann auch aus frischen Maronen selbst hergestellt werden:
Dazu 200 Gramm Maronen in der Schale einritzen, 5 Minuten in Wasser kochen. Die Schale entfernen. Die geschälten Maronen in wenig Wasser aufkochen und bei schwacher Hitze etwa 15 Minuten garen. Mit etwas Kochwasser in einen Mixer geben und pürieren.

Kürbis-Nuss-Muffins

Für 15 Stück

120 g Kürbis
2 Eier
Salz
1 EL Rum oder Orangensaft
75 g brauner Zucker
60 g Dinkelmehl, fein gemahlen
1 TL Backpulver
50 g Mandeln
50 g Haselnüsse
je 1 Prise Vanille, Nelken und Zimt
abgeriebene Schale
1/2 unbehandelten Orange
blanchierte, gemahlene Mandeln

🕐 **Zubereitungszeit 65 Minuten
Arbeitszeit 20 Minuten**

❶ Die Schale vom Kürbis abtrennen und Kerne und Fasern entfernen. Das Fruchtfleisch raspeln. Eier trennen. Eiweiß mit einer Prise Salz mit den Quirlen des Handrührers auf kleinster Stufe zu festem Eischnee schlagen.

❷ Rum erhitzen. Eigelbe mit Zucker und Rum in einer heiß ausgespülten Schüssel mit dem Handrührer dick und cremig aufschlagen.

❸ Mehl und Backpulver mischen. Mandeln und Haselnüsse fein mahlen und mit Mehl, Kürbis, Vanille, Nelken, Zimt und Orangenschale zur Eier-Zucker-Masse geben und kurz verrühren. Ein Drittel des Eischnees unter die Teigmasse rühren, den Rest unterheben.

❹ Teig in kleine Papierförmchen (jeweils 2 Förmchen ineinander stellen) oder in gefettete Muffinbleche füllen. Die Muffins in den kalten Backofen schieben (mittlere Schiene) und bei 180 °C (Umluft 160 °C, Gas Stufe 3) etwa 45 Minuten backen. Mit weißem Mandelmehl bestreuen.

TIPP

Um festzustellen, ob die Muffins durchgebacken sind, steckt man ein Holzstäbchen in die Mitte. Wenn man es herauszieht, und es bleiben noch Teigreste daran kleben, müssen die Muffins noch weiter backen.

Knabberkram

Käsestangen

Für etwa 10 Stück

100 g kalte Butter

100 g Mehl

100 g Quark

1/4 TL Salz

1/2 verquirltes Ei

1 TL Kümmel, Pfeffer, Muskat

100 g geriebener Gruyère

🕐 **Zubereitungszeit 95 Minuten**
Arbeitszeit 25 Minuten

❶ Aus Butter, Mehl, Quark und Salz zügig einen Teig kneten. Zur Kugel formen. Teig in eine Folie wickeln und 1 Stunde im Kühlschrank ruhen lassen.

❷ Den Backofen auf 200 °C (Umluft 180 °C, Gas Stufe 4) vorheizen. Ein Backblech mit Backpapier auslegen. Teig 3 Millimeter dünn ausrollen. Mit Ei bestreichen.

❸ Teig mit Kümmel, Pfeffer und Muskat bestreuen. Käse darauf verteilen, andrücken. In Streifen von etwa 3 x 25 Zentimeter schneiden. Diese um die eigene Achse drehen, so dass der Käse vom Teig umschlossen ist. Enden zusammendrücken.

❹ Backblech in den heißen Backofen schieben (mittlere Schiene) und die Stangen in etwa 25 Minuten goldgelb backen.

Paprikaherzen

Für etwa 30 Stück

100 g Mehl, 100 g Quark

100 g kalte Butter

1/4 TL Salz, 1/2 verquirltes Ei

125 g Paprikabrotaufstrich

🕐 **Zubereitungszeit 95 Minuten**
Arbeitszeit 25 Minuten

❶ Aus Mehl, Quark, Butter und Salz zügig einen Teig kneten. Zur Kugel formen. In Folie gewickelt 1 Stunde kühl ruhen lassen.

❷ Den Backofen auf 200 °C (Umluft 180 °C, Gas Stufe 4) vorheizen. Ein Backblech mit Backpapier auslegen. Teig 4 Millimeter dünn ausrollen. Mit Ei bepinseln.

❸ Aufstrich auf dem Teig verteilen. Teig in 15 Zentimeter breite Streifen schneiden. Beide Breitseiten der Streifen bis zu der jeweiligen Mitte aufrollen, so dass eine Doppelschnecke im Querschnitt entsteht. Rollen umdrehen und zu einer Herzform (im Querschnitt) zusammendrücken. Herzrollen in 1 Zentimeter breite Scheiben schneiden, auf das Backblech legen.

❹ Das Backblech in den vorgeheizten Backofen schieben (mittlere Schiene) und die Herzen in etwa 20 Minuten hellbraun backen.

Die Käsestangen und Paprikaherzen werden aus Blitzblätterteig hergestellt. Dieser Teig darf nur so lange geknetet werden, bis er sich gerade zu einer Kugel formen lässt.

Sesamkräcker

Für etwa 80 Stück

100 g Butter
400 g Mehl, Type 1050
200 g Sesam
4 EL Sesamöl
2 TL Salz

🕐 **Zubereitungszeit 65 Minuten
Arbeitszeit 10 Minuten**

❶ Butter in Würfel schneiden und mit Mehl, 100 Gramm Sesam, Sesamöl, Salz und etwa 120 Milliliter Wasser zügig zu einem festen Teig kneten. Teig zu einer Kugel formen, in eine Folie wickeln und im Kühlschrank 30 Minuten ruhen lassen.

❷ Ein Backblech mit Backpapier auslegen und den Teig darauf 3–4 Millimeter dünn ausrollen (ein feuchtes Tuch unter das Backblech legen, dann rutscht es nicht weg). Sesam darauf streuen. Teigplatte mit einem Teigrädchen in 4 x 4 Zentimeter große Stücke schneiden.

❸ Das Backblech in den kalten Backofen schieben (mittlere Schiene) und die Kräcker bei 200 °C (Umluft 180 °C, Gas Stufe 4) in etwa 25 Minuten hellbraun backen. Auskühlen lassen und trocken aufbewahren.

Grissini mit Rosmarin

Für etwa 10 Stück

150 g Mehl, Type 1050
1 TL Trockenhefe
1/3 TL Salz
1 Prise Cayennepfeffer
1 TL Rosmarin
1 EL Olivenöl

🕐 **Zubereitungszeit 85 Minuten
Arbeitszeit 15 Minuten**

❶ Mehl, Trockenhefe, Salz, Cayennepfeffer und Rosmarin in einer Schüssel mischen. Öl und etwa 80 Milliliter warmes Wasser zugeben und alles zu einem geschmeidigen Teig kneten. Mit einem Küchentuch abdecken und an einem warmen Ort 45 Minuten gehen lassen.

❷ Teig zu einer dicken Rolle formen. Daraus zehn Scheiben schneiden und diese zwischen den Händen zu langen, 1 Zentimeter dünnen

TIPP

Grissinis werden in Italien mit luftgetrocknetem Schinken umwickelt und als Antipasto serviert. Als vegetarische Variante dünne, gebratene Zucchinistreifen mit Pesto bestreichen und um die Brotstangen wickeln.

Strängen rollen. Möglichst gerade auf ein Backblech mit Backpapier legen und 10 Minuten gehen lassen.

❸ Grissini mit Wasser bepinseln. Das Backblech in den kalten Backofen schieben (mittlere Schiene) und die Grissinis bei 200 °C (Umluft 180 °C, Gas Stufe 4) in etwa 15 Minuten hellbraun backen.

Cantuccini

Für etwa 50 Stück

300 g Mandeln	
400 g Mehl	
2 TL Backpulver	
200 g Zucker	
4 Eier, 1 Eigelb	
20 g Butter	
1 EL Sahne	

🕐 **Zubereitungszeit 40 Minuten
Arbeitszeit 10 Minuten**

❶ Mandeln trocken in einer Pfanne rösten und abkühlen lassen.

❷ Mehl und Backpulver mischen und mit Zucker, 3 Eiern, Eigelb und

Butter in eine Schüssel geben und mit den Händen verkneten. Mandeln zugeben und unterkneten.

❸ Ein Backblech mit Backpapier auslegen. Den Teig zu langen Rollen von etwa 5 Zentimeter Durchmesser formen und auf das Backpapier legen. 1 Ei mit Sahne verquirlen und die Rollen damit bestreichen.

❹ Das Backblech in den kalten Backofen schieben (mittlere Schiene) und die Rollen bei 180 °C (Umluft 160 °C, Gas Stufe 3) in etwa 30 Minuten backen. Die Rollen sollten leicht gebräunt sein. Schräg in Scheiben schneiden und trocken aufbewahren.

TIPP

Servieren Sie dieses Hartgebäck wie in Italien zu Vino Santo, einem süßen, würzigen Dessertwein aus der Toskana, oder zu Kaffee.

Die Cantuccini lassen sich sehr gut im Voraus backen und trocken aufbewahren. So hat man immer leckeres Gebäck zu Kaffee oder Tee zu Hause.

Speisenatron gibt es unter dem Namen »Kaiser Natron« in Supermärkten und Drogerien zu kaufen. Unter anderem kann man es auch beim Blanchieren von grünem Gemüse verwenden, um die Farbe zu erhalten. Dazu 1 Teelöffel Natron in 2 Liter kochendes Wasser geben.

Frisch gemahlenes Vollkornmehl und im Mörser zerstoßene Gewürze geben den Laugenbrezeln einen kräftigen Geschmack. (Seite 149).

Vollkornlaugenbrezeln

Für 8 Stück

1/2 TL Kümmel
1/2 TL Fenchel
1/4 TL Anis
300 g fein gemahlenes Vollkornmehl
2 TL Trockenhefe
1/2 TL Salz
2 EL Öl
100 g Speisenatron
grobe Salzkörner oder Kümmel

Zubereitungszeit 95 Minuten Arbeitszeit 25 Minuten

❶ Kümmel, Fenchel und Anis in einem Mörser grob zerstoßen. Mehl und Hefe mischen und mit Salz, Öl und den Gewürzen in eine Schüssel geben. Etwa 170 Milliliter warmes Wasser zugießen und alle Zutaten zu einem elastischen Teig kneten. Den Teig zugedeckt an einem warmen Ort etwa 45 Minuten gehen lassen.

❷ Den Teig in 8 Stücke schneiden. Jedes Stück zwischen den Händen zu etwa 40 Zentimeter langen Strängen formen, die an den Enden dünn auslaufen. Zu Brezeln legen und die Enden gut festdrücken. 15 Minuten gehen lassen.

❸ Ein Backblech mit Backpapier auslegen.

❹ 2 Liter Wasser in einem hohen Topf zum Kochen bringen und Natron einrühren. (Vorsicht, schäumt!) Die Brezeln portionsweise 1 Minute in der Lauge kochen, dabei einmal umdrehen. Mit einem Schaumlöffel herausnehmen, abtropfen lassen und auf das Backblech legen. Mit Salz oder Kümmel bestreuen.

❺ Das Backblech in den kalten Backofen schieben (mittlere Schiene) und die Brezeln bei 180 °C (Umluft 160 °C, Gas Stufe 3) in etwa 25 Minuten mittelbraun backen.

Geröstete Sonnenblumenkerne

Für 8 Portionen

100 g Sonnenblumenkerne
1 EL Sojasauce

 Zubereitungszeit 5 Minuten

❶ Sonnenblumenkerne trocken unter Rühren in einer beschichteten Pfanne bei mittlerer Hitze hellbraun rösten.

❷ Sonnenblumenkerne mit der Sojasauce ablöschen und noch so lange weiter rühren, bis sämtliche Flüssigkeit verdampft ist. Sonnenblumenkerne in ein Schälchen füllen und abkühlen lassen.

Salzmandeln

Für 12 Portionen

400 g Mandeln

2 TL Salz

2 EL Olivenöl

1 Prise Cayennepfeffer

🕐 **Zubereitungszeit 35 Minuten**

❶ Backofen auf 150 °C (Umluft 120 °C, Gas Stufe 1) vorheizen.

❷ Mandeln mit kochendem Wasser überbrühen und die Haut zwischen den Fingern abstreifen (siehe Randspalte). Salz und Olivenöl vermischen und auf einem Backblech verteilen.

❸ Die Mandeln auf dem Öl verteilen und in etwa 30 Minuten hellbraun rösten. Dabei die Mandeln gelegentlich umschütteln. Abkühlen lassen, eventuell nachsalzen und mit einer Prise Cayennepfeffer würzen.

Mandeln lassen sich ganz leicht enthäuten, wenn man sie in einen Topf mit siedendem Wasser gibt und aufkochen lässt. Topf von der Kochstelle nehmen und das Wasser nach 3 Minuten abgießen. Mandeln in ein Küchentuch geben und reiben, um die Haut zu lösen.

Eingelegte Oliven

Für 12 Portionen

400 g grüne Oliven im Glas

3 Knoblauchzehen

1 getrocknete Chilischote

50 ml Olivenöl

2 TL Oregano

2 TL Dill

🕐 **Zubereitungszeit 65 Minuten
Arbeitszeit 5 Minuten**

❶ Olivensud abgießen und die Oliven 1 Stunde in reichlich Wasser einlegen. In ein Sieb gießen, abtropfen lassen und die Oliven in ein Gefäß geben.

❷ Knoblauchzehen abziehen und fein hacken. Chilischote etwas zerdrücken. Olivenöl, Knoblauch, Chili, Oregano und Dill verrühren und unter die Oliven mischen. Im Kühlschrank mindestens 1 Tag durchziehen lassen und gelegentlich durchrühren.

Scharfes Gekicher

Für 8 Portionen

100 g Kichererbsen
Olivenöl zum Braten
1/2 unbehandelte Zitrone
2 TL Thymian
1/2 TL Cayennepfeffer
Salz

🕐 **Einweichzeit 12 Stunden**
Zubereitungszeit 10 Minuten

❶ Kichererbsen über Nacht einweichen. Am nächsten Tag in ein Sieb schütten und die Kichererbsen abtropfen lassen. Mit einem Küchenpapier trocknen.

❷ Eine Pfanne 1/2 Zentimeter hoch mit Olivenöl füllen und die Kichererbsen darin goldbraun braten.

Spanisches Flair

Salzmandeln und eingelegte Oliven sind in spanischen Tapa-Bars die klassischen Begleiter zu trockenem Sherry. Mit geröstetem Brot, das mit einer Knoblauchzehe und einer halbierten Tomate eingerieben, gesalzen und nach Geschmack mit Olivenöl beträufelt wird, kann man schon einen ganzen Abend genüsslich verbringen.

❸ Auf Küchenpapier gut abtropfen lassen und die Kichererbsen in eine Schüssel geben.

❹ Zitrone heiß abwaschen, abtrocknen und die Schale abreiben. Mit Thymian und Cayennepfeffer zu den Kichererbsen geben und kräftig salzen. Alles gut vermischen und abschmecken.

❺ Kichererbsen halten sich in einem verschlossenen Behälter einige Wochen.

Die kleinen Knabbereien werden gerne nebenher zu einem Glas Wein oder Bier gegessen. Neben ihnen bleibt Gekauftes auf jeden Fall liegen.

Crispies mit Sirup

TIPP

Falls die Crispies
auf dem Backblech
schon fest werden
sollten, zum Weich-
machen nochmal
kurz in den Ofen
schieben.

Für 24 Stück

3 EL Ahornsirup
1 EL Zucker, 1 EL Butter
abgeriebene Schale
1 unbehandelten Mandarine
2 EL Cognac oder Mandarinensaft
1/2 TL Bourbonvanille, 1 Prise Zimt
2 EL Mehl

🕐 **Zubereitungszeit 35 Minuten**

❶ Backofen auf 200 °C vorheizen.
Ein Backblech mit Backpapier auslegen. Sirup, Zucker, Butter, Man-
darinenschale, Cognac, Vanille und
Zimt bei schwacher Hitze 1/2 Minute
kochen lassen. Mehl zugeben und
unterrühren.

❷ Teig in zwei Partien backen:
Teig in kleinen Kreisen mit einem
Teelöffel auf das Backblech geben.
10 Zentimeter Abstand halten.
Das Backblech in den vorgeheizten
Backofen schieben (mittlere Schie-
ne) und die Crispies in 4–5 Minuten
goldbraun backen.

❸ Blech herausnehmen und die
Crispies etwas abkühlen lassen.
Mit einer Palette die noch weichen
Crispies zum Festwerden für etwa
1/2 Minute auf ein Nudelholz legen,
damit sie eine gewölbte Form bekommen. Mit der zweiten Hälfte
des Teigs ebenso verfahren.

Knusprig-kross präsen-
tieren sich die leckeren
Crispies mit Ahornsirup
und Mandarinen.
Sie passen sehr gut
zu einem heißen, aro-
matischen Schwarztee
(Seite 153).

Gemüsechips

Für etwa 10 Portionen

4 Kartoffeln
1 kleine Steckrübe
1 Möhre
1 kleine Knolle Rote Bete
5 Shiitakepilze
Öl zum Frittieren
1 Bund Salbei
Salz

🕐 **Zubereitungszeit 25 Minuten**

❶ Kartoffeln, Steckrübe, Möhre
und Rote Bete waschen und mit
einem Sparschäler schälen. Gemüse
mit einer Brotschneidemaschine in
dünne Scheiben schneiden, die Kartoffeln sofort mit Wasser bedecken.
Shiitakepilze in Scheiben schneiden.
Salbei waschen, trockenschwenken
und die Blättchen von den Stängeln
zupfen.

❷ Kartoffeln in einem Sieb abtropfen lassen und mit Küchenpapier
trockentupfen. Frittieröl in einem
Topf erhitzen und die Gemüse-
stücke portionsweise etwa 2 Minuten frittieren. Nicht zu viele Stücke
auf einmal ins Fett geben, sonst
kühlt es zu stark ab. Salbeiblättchen
etwa 10 Sekunden ausbacken. Mit
einem Schaumlöffel herausnehmen
und auf Küchenpapier abtropfen
lassen. Die Gemüsestückchen
salzen und bald servieren.

Fingerfood für alle Anlässe

Das Essen mit den Fingern macht nicht nur bei Partybuffets Spaß, es ist auch beim gemütlichen Zusammensitzen mit Freunden, Nachbarn oder der Familie sehr gefragt.

Fingerfood als kleine Snackplatten – eine Alternative zu den herkömmlichen Schnittchenplatten – für gemütliche Abende zu Hause, beim Ansehen von Lieblingsfilmen oder Urlaubsdias oder Fingerfood für sommerliche Picknicks im Freien und für unterwegs: Wann Sie die köstlichen Snacks hervorzaubern, liegt allein bei Ihnen. Zum hitzigen Kartenspiel passen z. B. Nachos mit den mexikanischen Dips Avocadopüree oder Salsa picante. Nicht nur Italienfans werden Sie begeistern mit Tomatenbruschetta, Steinpilzcrostini, Focaccia-Brot und Cantuccini. Wählen Sie für ein Picknick Snacks, die unabhängig von Temperatur und Transportart gut in Form bleiben. Viele Snacks können Sie in einer Dose verpacken und auf die Wanderung oder die Radtour mitnehmen. Vergessen Sie nicht, Brettchen und Messer einzupacken.

Auf die geplante Indienreise kann man sich mit einer indischen Fingerfoodplatte einstimmen. Hier gehören Gemüsepakoras mit Minzjoghurt, indische Kartoffelsäckchen und Tofutikka dazu. Als kleines Dessert servieren Sie das indische Konfekt.

Rezeptregister von A–Z

Sachregister

Die Autorin
Elisabeth Schwarz lebt und arbeitet in
Münster/Westfalen. Ihre Laufbahn
begann sie als Köchin in einem vegetarischen Restaurant. Dort entwickelte
sie viele neue Gerichte. Ihre Kreationen
waren so erfolgreich, dass sie schon
bald einen Partyservice übernahm.
In diesem Buch stellt sie eine Auswahl
ihrer beliebtesten Party- und Fingerfood-
Rezepte vor.

Der Fotograf
Karl Newedel arbeitet als Food-Fotograf
in München. Dabei profitiert er stark
von seiner klassischen Kochausbildung.
Bereits mit 23 Jahren war er Küchen-
chef in einem renommierten Münchner
Hotel. 1982 wechselte er in den Bereich
der Food-Fotografie, wo er sich zunächst als freischaffender Food-Stylist
für Verlage, Werbeagenturen und Film-
produktionen einen Namen gemacht
hat. Seit 1996 steht er im eigenen
Studio selbst hinter der Kamera.

© 2001 Cormoran Verlag, München,
in der Econ Ullstein List Verlag
GmbH & Co.KG, München
© 1998 Südwest Verlag, München

Lektorat: Susanne Kirstein
Projektleitung: Michaela Röhrl
Bildredaktion: Bettina Huber
Fotografie: Karl Newedel
Umschlagfoto: StockFood, München:
(Losito & Losito snc)
Produktion: Manfred Metzger (Leitung),
Annette Aatz
Layout und Umschlaggestaltung:
Manuela Hutschenreiter
DTP/Satz: Nicole Üblacker

Printed in Italy
Gedruckt auf chlor- und
säurearmem Papier

ISBN 3-517-09170-7